KB103408

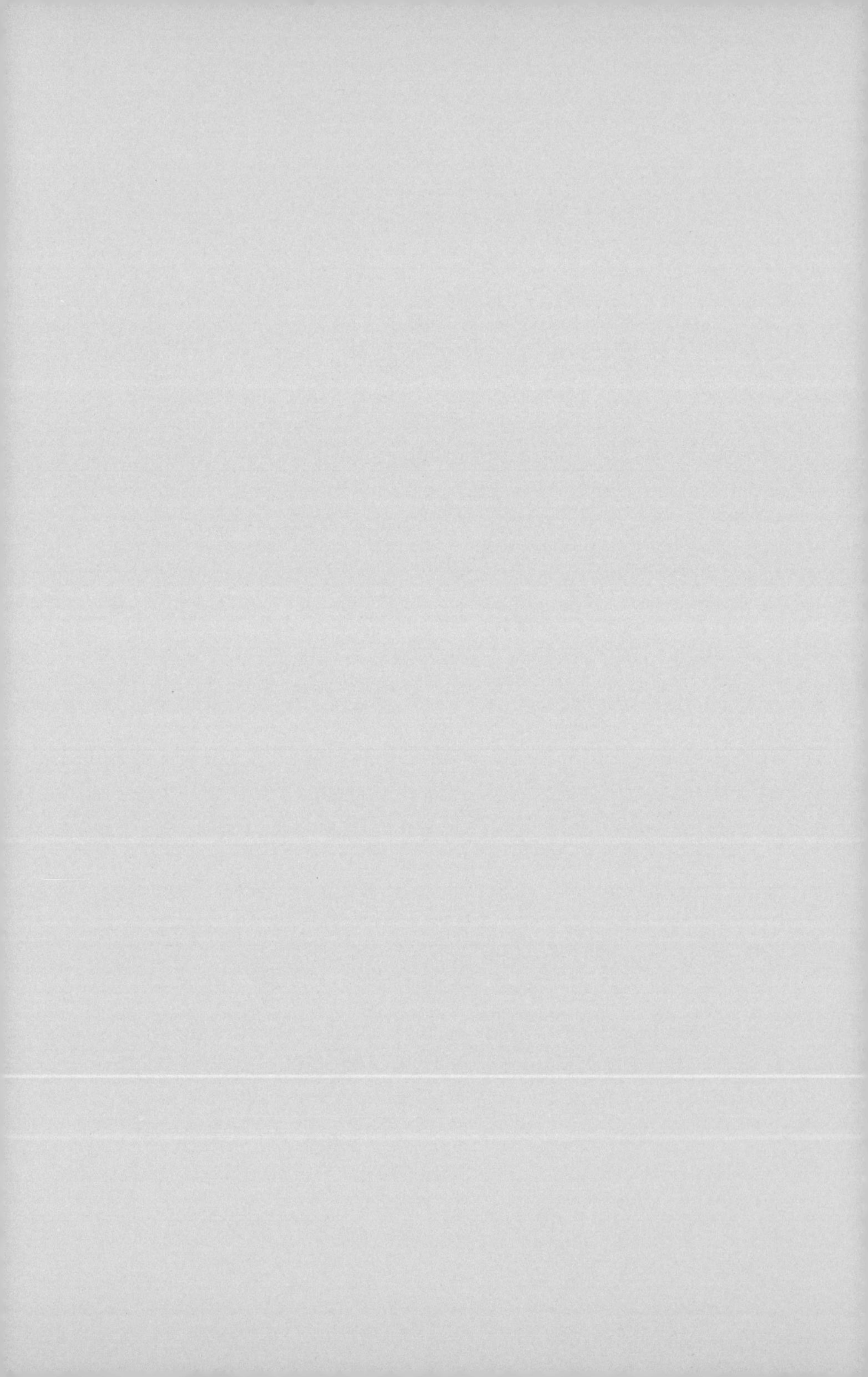

내 집을 생각하다

내 집을 생각하다

발 행 | 2016년 11월15일
저 자 | 김수경 노현선 박은선 박지민 신수영 우미경
펴낸이 | 한건희
펴낸곳 | 주식회사 부크크
출판사등록 | 2014.07.15(제2014-16호)
주 소 | 경기도 부천시 원미구 춘의동 202 춘의테크노파크2단지 202동 1306호
전 화 | (070) 4085-7599
이메일 | info@bookk.co.kr

ISBN | 979-11-5811-000-0

www.bookk.co.kr

내 집을 생각하다

김수경 노현선 박은선 박지민 신수영 우미경 지음

CONTENT

시작하며

우리가 집에 대해 갖는 소망은 "좋은 집"에 살고 싶다는 것이다. 어떤 집이 좋은 집일까. 어떤 집이 나에게, 우리 가족에게 좋은 집일까. "당신은 어떤 집에 살고 싶습니까?"라는 질문을 받으면 우리는 잠시 생각한 후에 대개 비슷비슷한 소망을 나열한다. 햇빛이 잘 드는 마당이 넓은 집, 커다란 창문이 있는 집, 친근한 이웃들과 자주 모여 어울리는 집… 등등.

좋은 집, 또는 살고 싶은 집을 떠올려 볼 때 많은 사람이 햇빛 좋은 예쁜 마당에서 꽃과 나무를 가꾸고, 작은 텃밭을 일구는 상상을 한다. 또, 환히 트인 창문을 통해 이렇게 예쁜 마당을 내다보며 기분 좋게 차 한잔을 마시는 상상을 한다.

하지만 이러한 모습은 우리가 집에서 만들어내는 일상의 극히 일부일 뿐이다. 집에서 일어나는 모든 일상은 지극히 현실적이고, 구체적이다. 우리는 집에서 밥을 준비하고, 밥을 먹으며, 씻고, TV를 시청하고, 잠을 잔다. 놀고, 공부하고, 청소를 하며, 물건을 정리한다. 또한 이웃을 만나고, 동네에 나가 물건을 사며, 아이를 데리고 공원과 도서관에 가기도 한다. "집"의 개념은 내가 살고 있는 주택이라는 구조체의 내부에만 국한된 것이 아니라 울타리를 뛰어 넘어 확장된 내 외부생활의 반경까지도 포함한다.

"좋은 집"이란 이러한 구체적 일상을 최대한 뒷받침하여 그 집에 사는 사람을 편안하고 행복하게 해 주는 집일 것이다.

이 책에서는 "좋은 집"을 현실적으로 구체화 하기 위해 집에 대한 여러 가지 질문을 통하여 답을 찾고자 하였다.

서울 수도권 거주자 30대부터 60대 916명을 대상으로 2014년 11월에 집에 대한 생각과 요구를 질문하여 얻은 결과를 서술하면서 주거 트렌드와 관련 지어 분석하고 사례를 제시하였다. 집의 실내환경, 평면, 첨단 기술뿐 아니라 생활하면서 필요한 서비스와 커뮤니티 프로그램에 이르기 까지 집에 대한 평가와 요구를 분석하였다. 그리고 1인가구, 고령자를 위한 집에 대한 선호와 이웃과 집을 공유하는 방식에 대해서도 무엇을 원하는지 전반적으로 살펴 보았다.

이를 통하여 향후 집의 기능이 어떻게 변해야 하는지, 집의 평면과 기술은 어떤 방향으로 발전 해야 하는 지에 대한 가이드라인을 생활자 관점에서 제공하고자 한다. 이러한 내용이 집을 설계하거나 생활과 관련된 서비스를 제공할 때 참고 할 수 있는 지침이 될 수 있고, 미래 주거의 방향을 제시하고 주거 정책을 수립하는데 필요한 중요한 데이터 베이스가 될 수 있기를 바라는 마음으로 서술하였다.

"좋은 집"에 대한 해답을 찾기 위해 오래 동안 집을 설계하는 사람, 집을 짓는 사람, 집을 연구하는 사람들이 많은 노력을 기울여 왔다. 그러나 "좋은 집"에 대한 해답은 이러한 전문가들만이

구하는 것이 아니다.

프랭크 로이드 라이트(Frank Lloyd Wright)는 “건축가는 건물을 짓는 사람이 아니라, 건축에 대해 늘 생각하는 사람”이라고 말한 바 있다. 내가 살고 싶은 내 집에 대해 늘 꿈꾸며 생각하는 우리는 모두 “내 집” 건축가이다.

1

내 집을 생각하다

제1장 내 집을 생각하다

박완서 작가의 장편소설 '그 많던 싱아는 누가 다 먹었을까'에는 해방 직후의 시대적 배경 속에, 내 집을 갖게 된 어린 주인공의 설렘과 기쁨이 묘사되어 있다. 세를 살던 주인공은 주인집 아이와 놀다가 다툼 끝에 상대방의 얼굴에 손톱 자국을 남기게 되고, 아이들의 싸움은 어른들의 싸움이 된다. 어린 딸이 집 없는 설움을 당하는 것을 못 견딘 어머니는 금융조합에서 거금 팔백 원을 융자받아 현저동 꼭대기에 있는 천오백 원짜리 집을 산다.[1]

…우리는 그 집을 괴불 마당 집이라고 불렀다. 마당이 괴불처럼 세모였기 때문이다. 우리는 다 같이 그 집에 만족했고 또한 사랑했다. 오빠는 건넌방을 혼자 쓸 수가 있었고 문간방은 세를 주었

다. 기역자집의 양 끝인 건넌방과 대문간을 직선으로 이으면 마당이 삼각형이 된다. 집이 들어앉지 않은 삼각형의 한쪽 변은 높은 축대고 축대 밑은 그 아랫집 뒤꼍이었다. 엄마는 축대 밑에 있는 집의 양해를 구하고는 우리 마당을 추녀처럼 그 뒤란으로 내물렸다. 그리고 늘어난 마당을 꽃밭으로 만들었다. 밑의 집에선 뒤꼍에 지붕이 생겼다고 좋아하고 나는 꽃밭을 가질 수가 있어서 좋았다…

네모가 아닌 세모일망정 '마당이 있는 내 집'을 갖는다는 기쁨이 얼마나 컸을지, 쉽게 짐작할 수 있다.

이로부터 약 반 세기의 세월 동안, 대한민국에는 가히 광풍이라 할 만한 '마당이 없는' 아파트 열풍이 몰아쳤다. 급속도로 발전하는 산업화와 근대화, 도시화의 사회에서 아파트 마련은 무엇보다도 가장 유리한 자산증식 방법이었으므로 아파트 열풍은 식을 줄 몰랐다. 그러나 최근 이러한 인식에 변화가 생겨나고 있다.

많은 사람들이 거주성과 생활의 질적 향상을 주거소유와 분리하여 생각하기 시작한 것이다. 이들은 내 집이 반드시 있어야 한다는 소유의식에 얽매이지 않고, 자신의 경제적 여건과 시장 상황을 고려하여 주거선택을 합리적이고 유연하게 결정하는 특징을 갖는다.

2015년 벼룩시장 부동산이 20대 이상 온라인회원 736명을 대상으로 '내 집'의 의미를 물은 결과, 응답자의 과반수 이상인 88%는 '먹고 자고 쉴 수 있는 나의 삶의 터전으로의 Home'이라고 답했으며 '재산으로서 사고 파는 개념의 House'라고 답한 응답자는 12%에 그쳤다. 과거에는 '내 집 마련=성공'의 공식이 생길 만큼 내 집 소유를 안정적인 자산으로 생각하는 인식이 높았지만 저금리 시대에도 불구 최근 주택시장의 장기적인 침체로 집을 자산불리기의 개념 보다는 주거에 대한 개념으로 생각하는 사람이 많은 것으로 보인다.[2]

경향신문 특별취재팀의 조사에서도 '주택의 기능'이 무엇이라고 생각하는가를 묻는 질문에 대해 "주택은 주거 공간"이라고 본 응답자가 85.2%로 "주택은 투자 재산이라고 본다"는 응답자(14.8%)보다 압도적으로 많았다.[3]

한편, 대한민국에서 수 십 년 간 깨어질 줄 몰랐던 아파트 불패 신화에 서서히 균열이 생겨나기 시작하면서 단독주택에 대한 관심과 선호가 높아지고 있다. 이에 따라 고정적이고 안정적인 주거를 선호하던 성향에서 임대 수요 증가, 탈아파트 경향, 멀티해비테이션(multi-habitation) 등 새로운 주택 수요 행태가 나타나고 있다.

본 보고서는 이러한 주택에 대한 의식 변화를 알아보고자 서울 및 수도권에 거주하는 916명을 대상으로 주거소유 및 선호 주택 유형에 관한 의식조사를 수행하였다. 이를 기반으로 사회인구학적 특성을 비롯한 의식 변화에 영향을 준 다양한 요인들을 분석하여 최근 다양해지고 있는 가족구조의 변화, 생활양식의 변화와의 관련성을 살펴보았다.

내 집은 반드시 있어야 하는가?

본 조사에서 '내 집은 반드시 있어야 하는가?'라는 질문에 대해 '그렇다'는 응답자는 73%였다. 아직도 높은 수치이기는 하지만, 국토교통부에서 실시한 주거 실태 조사 에서 같은 질문에 대한 2010년(83.7%)과 2014년(79%)의 응답률과 비교해보면 내 집이 꼭 있어야 한다는 소유의식은 점차 하락하는 추세라는 것을 알 수 있다.

앞에서 언급했던 벼룩시장 부동산의 조사(2015)에서도 '나의 집을 반드시 소유해야 한다고 생각하십니까'라는 질문에 54.1%가 '상황이 되면 소유하면 좋지만 굳이 하지 않아도 된다'고 답한 것으로 나타났다. 연령대별로 살펴보면 20대 중 69.2%는 '상황이 되면 소유하면 좋지만 굳이 하지 않아도 된다'고 말했으며 7.7%는 '내 집을 꼭 소유할 필요가 없다'고 말했다. 반면 60대 이상은 과반수 이상인 53.8%가 '나의 집은 무리를 해서라도 반드시 소유해야 한다'고 답해 상반된 의견을 보였다. 30대의 경우에는 '나의 집은 무리를 해서라도 반드시 소유해야 한다'는 답변이 40대

(36.2%), 50대(43.3%)보다 높은 43.9%를 차지해 실수요 목적으로 내 집 마련을 하는 것은 물론 저금리를 이용해 수익성 부동산 투자에도 열중을 하는 30대가 많은 것으로 해석된다.

또한 연령이 높아질수록 집 소유에 대한 인식이 높았던 예전과는 달리 40대 62.3%, 50대 50%가 '상황이 되면 소유하면 좋지만 굳이 하지 않아도 된다'고 각각 답해 내 집의 필요성은 알지만 소유를 위해 대출 등 지나친 무리는 하지 않는 것으로 보인다.

경향신문 특별취재팀의 조사에서도 "내 소유가 아니라 임대주택이어도 괜찮다"는 데 응답자의 절반 이상이 동의 했다. 이는 한국인의 '집'에 대한 인식에 있어 '투자재' 보다는 '살아가는 공간'이라는 전통적인 인식이 강하다는 것을 보여준다. 동시에 현재의 고가로 형성된 주택시장에서 '소유' 중심의 정책보다는 생활수준에 맞추면서도 부담 없는 수준의 '임대'주택을 대거 보급할 필요가 있다는 사회적인 공감대와 필요성이 형성되었음을 보여준다.[4]

한편, 본 조사에서는 '내 집은 반드시 있어야 한다'는 응답은 집단 간 차이 검증에서 현재 거주하는 주택의 소유형태, 규모, 유형에 따라 유의적인 차이를 보였으며, 가구원수, 가족형태, 자녀연령 및 직업에 따라서도 유의적인 차이를 보였다.

자가 소유자(82%)에게 있어 임차 거주자(57%)보다 내 집은 반드시 있어야 한다는 응답비율이 높게 나타났으며, 주택 규모별로는, 30평형대 거주자의 78%가 '그렇다'고 대답해 가장 높은 응답비율을 보였고, 20, 40, 50평 이상 평형대 거주자도 70%대의 응답률을 보여 엇비슷하게 나타났으나, 20평 미만의 주택 거주자는 58.5%가 '그렇다'고 응답해 가장 낮게 나타났다. 거주하는 주택 형태별로는 아파트 (77%), 주상복합 거주자(75%)가 그렇다는 응답비율이 높고, 오피스텔(47%), 상가겸용 단독주택(38%) 거주자는 낮았으며. 가구원수가 적을수록 그렇다는 응답이 적게 나타났다.

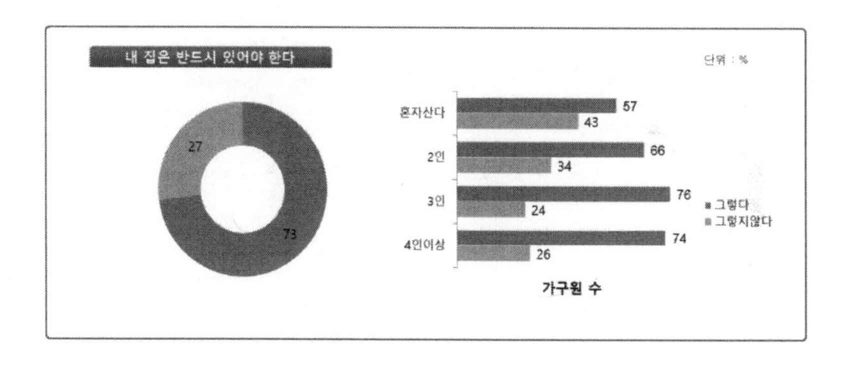

가족형태에 따른 응답을 살펴보면, 부부와 자녀의 가족 형태(77%)가 그렇다는 응답이 가장 높게 나타났고, 자녀연령에 따른 응답에서는 자녀가 초등학생인 (86%) 집단에서 가장 높았으며, 중고등학생(79%), 대학생이상(75%), 유치원 이하(73%)의 집단 순으로 높은 응답률을 보였다. 자녀가 없는 집단(60%)이 그렇다는 응답이 가장 낮았다.

직업에 따라서는 관리직(81.5%), 기능직(80.8%), 전업주부 (80.7%) 군에서 높게 응답하였으며, 전문직(57.4%)과 파트 타임 및 프리랜서 군(52.2%)에서는 그렇다는 응답률이 낮았다.

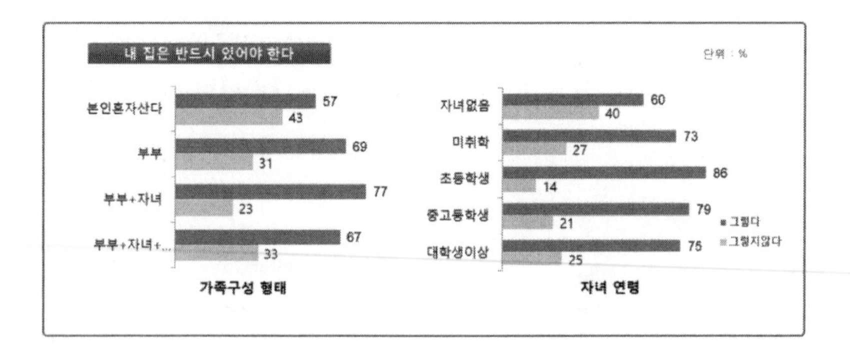

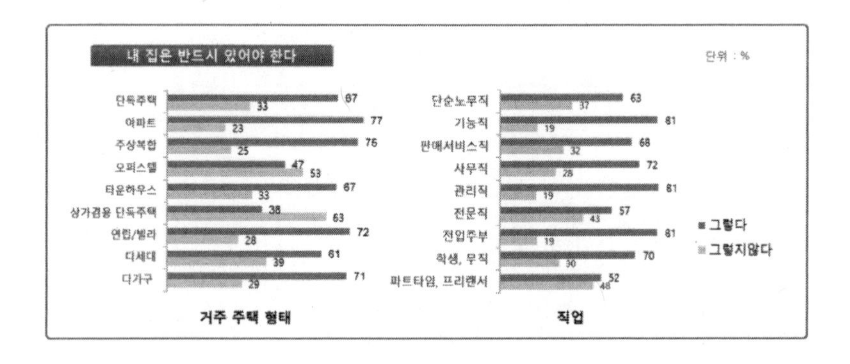

왜 내 집이 있어야 하는가

'왜 내 집이 꼭 있어야 하는가?'라는 질문에 대한 응답으로서, '이사하지 않고 원하는 기간만큼 살 수 있으므로'가 81.8%로 가장 높았으며, 그 외에 임대료 상승의 압박이 없으므로(40.2%), 집을 내 마음대로 사용할 수 있어서(36.2%)의 순으로 나타났다. 자산 증식 및 보전을 위해서(20.7%)나 내 집이 있어야 한다는 사회적 분위기(20.8%)는 상대적으로 낮게 나타났다.

모든 연령대에서 '이사하지 않고 원하는 기간만큼 살 수 있으므로' 가 1위였으나, 각 이유의 비중을 비교해보면, '임대료 상승의 압박이 없으므로' 와 '집을 내 마음대로 사용할 수 있어서' 는 연령이 낮을수록 높게 나타나며, '자산 증식 및 보전을 위해서' 와 '내 집이 있어야 한다는 사회적 분위기' 는 연령이 높을수록 높게 나타나는 특징을 보인다.

소득 수준별 응답률을 비교해보면, 전 소득층에서 '이사하지 않고 원하는 기간만큼 살 수 있으므로' 가 1위로 나타났으나 '임대료 상승의 압박이 없으므로' 는 월 소득이 낮을수록 응답률이 높아지며, '집을 내 마음대로 사용할 수 있어서' 라는 응답은 800만원 이상 고소득층에서 2위로 응답하였고(42.1%) 월 소득이 높아질수록 응답률이 높게 나타났다.

압도적 숫자의 응답자(81.8%)가 '이사하지 않고 원하는 기간만큼 살 수 있으므로' 내 집이 있어야 한다고 응답한 것을 보면, 많은 사람들이 원치 않는 이사에 대해 큰 부담을 느끼고 있음을 알 수 있다.

그러나 세입자와 주택 보유자를 불문하고 우리나라는 인구의 19%가 해마다 이사를 다닌다. 전 인구 다섯 명에 한 명꼴 1년에 약 870만여 명이 이삿짐을 싸고 푼다는 사실은, 결국 5년만 지나면 한 동네가 완전히 새로운 사람들로 바뀐다는 말이다.[5] 물론 이것은 이론적인 계산상의 수치이지만, 아무튼 한 동네에 사는 사람들이 끊임 없이 바뀐다는 것은, 그 동네에 애착을 갖는 사람이 그만큼 적다는 것을 의미한다. 동네에 대한 애착심이 없다면 그 동네의 긍정적 발전을 기대하기는 어려울 것이다.

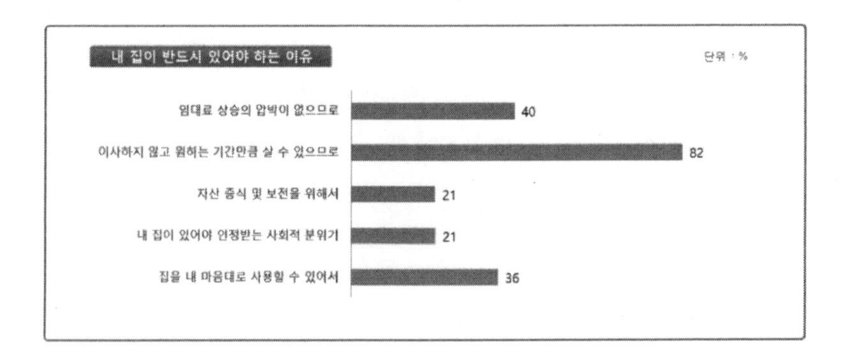

내 집이 없어도 된다고 생각한 가장 큰 이유는 '반드시 소유할 필요가 없고 거주를 우선시 생각하기 때문'이 가장

높았으며 (51.2%), 높은 집값 때문에(19.3%), 매매가 자유롭지 못하고 환금성이 떨어져서(16.8%)가 그 다음으로 높았다. 월 소득별로 차이를 보면, 1순위는 같으나 다음 순위로는 소득이 낮은 집단에서 '높은 집값 때문에' 라는 이유가 많은 비중을 차지하고 있다.

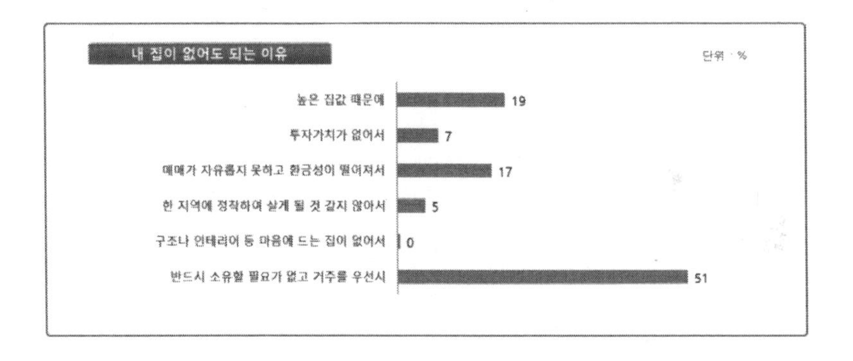

하우스 푸어, 렌트 푸어

취업포털 잡코리아는 2016년 3월 9일 본인이나 배우자의 명의로 매매, 전세, 월세 등 주택을 계약한 남녀직장인 2,062명을 대상으로 설문조사 한 결과를 발표했는데, 설문에 참여한 직장인의 79.2%가 자신을 '하우스/렌트 푸어'로 간주했다.[6] 즉, 10명 중 8명이 '나는 하우스 푸어 또는 렌트 푸어' 라고 생각한다는 것이다.

주택 마련 형태별로 보면, 월세 계약자들 중에서 자신을 '하우스/렌트 푸어'로 보는 이들이 89.1%로 가장 많았다. 이어 전세(84.6%) 자가(66.2%) 순으로 높았다.

또 직장인들은 매월 소득의 5분의 1을 주거비로 지출하는 것으로 드러났다. 잡코리아가 매월 소득 중 주택대출 상환 및 월세 등 주거비 지출 비율을 조사했더니, 주거비가 전체 평균 월 소득의 22.9%에 달했다.[7]

본 조사에서 '집을 마련하지 전까지 고가의 자동차 구입이나 사치품, 비싼 해외여행 등은 자제하는 것이 좋다'고 생각하는지를 묻는 질문에 대해, 전체 응답자의 평균은 3.69(5점척도)이었다. 집단 간 차이 검증에서는 연령별 차이만 유의적으로 나타났는데, 50, 60대가 30, 40대에 비해 보다 '그렇다'고 생각하는 보수적인 성향을 보였다.

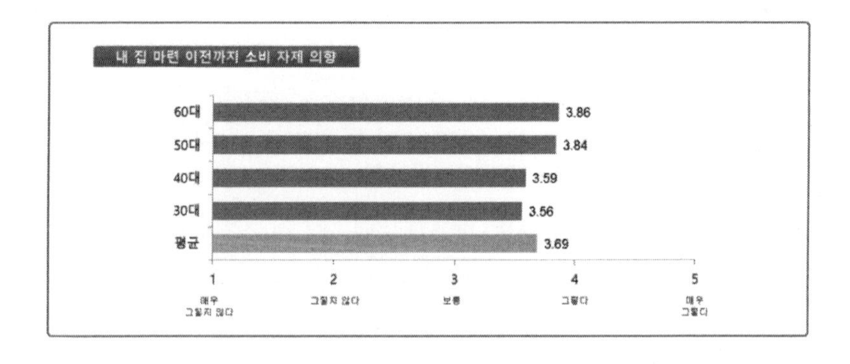

'주택을 마련하느라 융통한 대출원금과 이자비용 때문에 경제적으로 정신적으로 여유가 없고 힘들다'라는 문항에 대한 공감은 전체 응답자 평균 2.87(5점 척도)이었으며, 집단 간 차이 검증에서는 연령, 월소득, 가족형태, 자녀연령에서 유의한 차이를 보였다.

60대가 다른 연령집단에 비해 평균값이 낮고, 월소득에 있어서는 소득이 높을수록 평균값이 낮았다. 가족형태에 있어서는 부부로만 이루어진 형태보다 부부와 자녀로 이루어진 가족형태에서 평균값이 더 높게 나타났다. 자녀 연령에 있어서도 자녀가 없는 경우가 가장 평균값이 낮으며 대학생이상을 제외하고는 자녀연령이 높아질수록 평균값이 높아진다.

다시 말해, 대체로 젊은 연령층, 소득이 적은 계층, 부부와 자녀로 이루어진 가족형태, 자녀가 대학생이 되기 이전까지 자녀의 연령이 높아질수록 주택마련을 위한 대출금 때문에 상대적으로 힘들어하는 것으로 나타났다.

10년 후 거주하고 싶은 집

사람들은 장래 어떤 집에 거주하고 싶어할까?

이에 대한 희망사항을 묻는 조사가 있었다. 국토연구원이

2013 년 국민 1,590 명을 대상으로 30 년 후 어떤 주택에 거주하기를 희망하는가를 묻는 설문조사 결과, 현재 아파트 거주 비율은 64%이나 미래에 아파트에 거주하고자 하는 비율은 29%로 줄어들었고, 단독주택 거주비율은 현재 14.7%이나 미래 거주 희망비율은 41%로 증가 하였다.[8]

본 조사에서 '10년 후에 어떤 유형의 주택에 거주하고 싶은가?'를 묻는 질문에 대해서는 단독주택 혹은 아파트에 살고 싶다는 응답률이 각각 30.2%와 30%로 거의 비슷하게 상위를 차지하였다. 집단 별 차이를 보면 월 소득에 있어서 800만원 이상인 고소득층에서는 다른 집단과 다르게 아파트보다 단독주택에 살고 싶다는 응답률이 높게 나타났다.

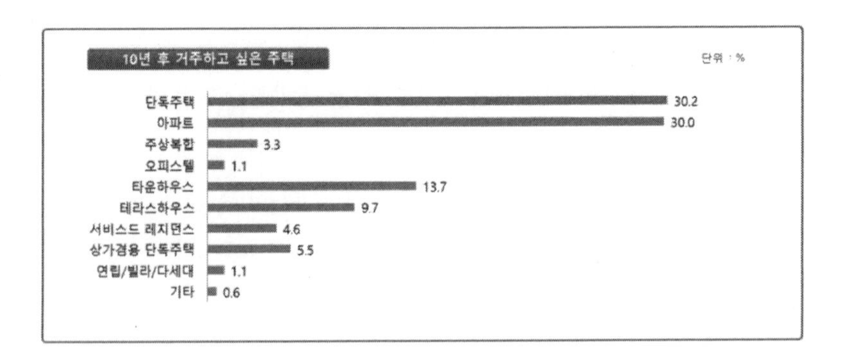

또한 800만원 이상의 소득계층은 타운하우스, 테라스 하우스, 서비스드 레지던스 등 다양한 주택에 대한 선호도 높게 나타났다.

가족형태에 따른 응답을 살펴보면, 부부와 부부+자녀의 가족형태에서는 아파트 선호가 높았으나, 혼자 살거나, 조부모를 모시는 경우에는 단독주택을 선호하는 것으로 나타났다.

자녀연령에 따라서는 만3세 이하 또는 유치원 이하의 어린 자녀를 데리고 있는 경우에만 아파트에 대한 선호가 높았고 그 외 집단에서는 단독주택 선호가 다소 높게 나타났다.

현재 거주하는 주택이 단독주택인 집단은 단독주택 선호가 아파트보다 높으며, 현재 아파트 거주자는 단독주택보다 아파트를 선호하여, 자신에게 익숙한 거주 환경을 더 선호하는 것으로 나타났다.

단독주택을 선택한 응답자(248명)들의 선호 이유로는 '마당 및 여유 있는 실외공간'이 84.3%로 가장 높았고, 아파트를 선택한 응답자(247명)들의 선호 이유로는 '편리한 관리'가 78.9%로 가장 높은 비중을 차지하였다.

원하는 만큼 오래 살 수 있는 집

본 조사에서 나타난 바에 따르면, '내 집이 꼭 있어야 한다' 는 이유에 있어서는 원하는 기간만큼 살 수 있다거나, '임대료 상승의 압박이 없으므로' 와 같은 주거 안정성 측면의 이유가 높았다. 그 동안 주택 보유의 중요한 동기가 되었던 '자산증식 및 보전'이나 '집이 있어야 인정받는 사회적 분위기'의 이유는 가장 낮았다.

한편, 10년 후 거주하고 싶은 주택 유형으로는 아파트와 단독주택이 비슷한 비율로 선호되었으며 아파트는 편리한 관리 때문에, 단독주택은 마당 및 여유 있는 실외공간 때문에 주로 선호하는 것으로 나타났다.

그 외 테라스하우스, 타운하우스, 도시형 생활주택, 상가겸용단독주택, 서비스드 레지던스 등 다양한 주택유형에 대한 선호도 높아지고 있는 것으로 나타나 지금까지와 같이 아파트 위주의 획일적인 주택공급을 벗어나 보다 다양한 형태의 주택공급이 필요함을 알 수 있다.

집을 바라보는 사람들의 관점이 점차 교환 가치보다는 사용가치를 더욱 중시하는 것으로 변화하고 있다는 것은 새삼스러운 사실이 아니다. 이제 점점 더 많은 사람들 집을 자산증식의 수단으로서 보다는 나와 내 가족의 삶이 오롯이 담기는 진정한 의미의 안식처로 간주하는 것이다.

페터 춤토르는 "좋은 건축(좋은 집)"이란, "인간의 삶의 흔적들을 흡수하고 고유의 풍성함을 나타내는 것"[2] 이라고 정의한 바 있다.

각 개인과 가족의 삶의 흔적이 모두 다르고 저마다의 고유함과 풍성함을 지니는데 현재 우리나라에서와 같이 대규모로 개발되는 아파트라는 획일적인 주거형태에 그 삶들을 구겨 넣으려 한다면 이는 결국 '모두에게 맞추었지만 누구에게도 맞지 않는 집'[10] 이 될 것이다.

가장 이상적인 내 집의 주거형태로서 정답은 없다. 저마다의 삶이 하나도 같은 것이 없는 만큼, 각 사람 또는 각 가족의 여건과 요구사항과 희망이 제 각각 다르기 때문이다. 이러한 다양성을 최대한 고려하여 다양한 주거형태의 개발과 공급이 필요하다.

그러나 이상적인 내 집에 대한 하나의 중요 공통점을 꼽는다면, '내가 원하는 만큼 오랫동안 살 수 있는 집'이어야 한다는 것이다.

장소는 한 곳에 오래 뿌리내릴 때 비로소 완성된다. 집과 땅에 대한 세월의 주름이 빚어내는 온전한 기억이자, 켜가 쌓이는 동네 풍경이 일구어내는 시간의 굳건한 결정체가 곧 장소이다.[11]

내가 애정을 갖고 오랫동안 살고 싶은 '내 집'의 개념은 단순히 주택이라는 물리적 구조체에만 국한되는 것이 아니다. 그 주택이 속해 있는 동네와 그 동네에 살고 있는 다른 사람들과의 관계를 모두 포함하는 것이다.

원하는 만큼 오랫동안 살 수 있는 집과 동네에 살 때 우리는 그 장소에 대해 관심과 애정을 가질 것이며 그 곳을 지키고 보다 나은 곳으로 발전시키려고 노력하게 된다.

이러한 노력은 '살기 좋은 동네'로서 환경의 질적 향상을 가져오며, 오래된 단골손님이 많은 상점들이 많아져 지역의 경제적 안정성을 가져온다. 뿐만 아니라, 오랫동안 얼굴을 보아온 이웃들은 보다 끈끈한 공동체를 형성하여 낯선 사람들에 둘러싸인 지역에서보다 훨씬 안전한 환경을 조성하게 된다. 이웃에 도움이 필요한 일이 발생했을 때 보다 적극적으로 도움을 주려고 개입할 것이며, 수상쩍은 사람이 나타났을 때 금방 알아챌 수 있어 신속한 대응이 가능하다.

또한, 내가 속한 지역을 발전시키기 위해 정치적인 관심도 높아질 것이며 이는 적극적인 투표참여로 이어져 정치의 발전을 가져온다.

이렇듯 보다 많은 사람이 자신이 원하는 곳에 오랫동안 살수록 그 지역의 환경 발전, 경제적 발전, 사회관계의 발전, 정치적 발전이라는 결과를 가져오며, 각 지역의 긍정적 발전이 모여 국가 전체의 발전으로 귀결될 것이다.

그러므로 '오랫동안 행복하게 살 수 있는 집'에 산다는 것은 한 개인, 혹은 한 가족의 삶의 문제를 훨씬 뛰어넘는 거시적인 문제이며, 이것은 개인의 노력으로만 해결되는 문제가 아니다. 지자체와 정부가 적극적으로 발벗고 나서 입주자가 오랫동안 거주할 수 있는 다양한 주택을 계획·공급하기 위한 제도 및 정책의 시행이 뒷받침 되어야 할 것이다.

또한 이러한 제도나 정책의 마련에는 크고 작은 지역 공동체가 더욱 활성화되어 지역 주민들의 다양한 의견을 수렴하고 반영함으로써 나의 관심이 내 지역의 발전으로 연결됨을 체감할 수 있게 해야 할 것이다.

집필자: 신수영 | 노현선

2

안전한 집 스트레스 없는 집

제2장 안전한 집, 스트레스 없는 집

최근 안전 사고의 증가로 주거 환경 안전에 대한 불안감이 확산되고 있다. 또한 층간 소음, 층간 흡연, 미세 먼지, 야간 빛 공해 등으로 주택 내 환경 스트레스가 증가하는 가운데 실내 환경을 안전하고 쾌적하게 유지할 수 있는 환경 기술과 법적 규제 및 조정에 대한 요구가 증가하고 있다.

집에서도 불안하다

가장 안전하고 보호 받아야 할 집에서 여전히 불안한 이유는 범죄 피해, 화재, 안전사고 등 여러 가지 요인 때문이다. 경기도 의정부시 주거용 오피스텔에 불이 나 5명이 숨지고 139명이 다치는 화재가 발생하였는데,[1] 화재가 발생하고 불과 20여분 만에 옆 건물로 화재가 전이되어 결과적으로 건물 4개동이 화재의 직,간접적인 피해를 입었다. 건물간격이 좁았고 건축물 외장재가 불연재가 아니라서 화재가 단시간에 전이되었다고 한다.

삼성교통안전문화연구소가 서울 및 경기지역 아파트 단지와 대형 마트, 대학 등 15곳을 조사한 결과(2014년) 15곳 모두 주차장 진출입로가 좁아 차량의 회전반경이 충분히 확보되지 않았다. 조명시설 부족 등 여러 문제점이 드러났다. 이와 같은 도로 외 구역의 교통사고로 인한 사망자와 부상자는 각각 103명과 66만4670명으로 부상자 수 역시 전체에서 차지하는 비율(37.1%)이 가장 높았다.[2]

현재 살고 있는 주거 환경에 대해 어느 정도 불안감을 느끼는지를 조사한 결과, 건물 붕괴 위험(2.92)을 제외한 8개 항목에 대한 불안감이 모두 3.0 이상으로 전반적으로 불안하다고 응답하였다. 화재 위험(3.40), 범죄 피해(3.35), 단지 및 주변 도로 교통 사고(3.34)에 대한 불안감이 가장 높았다. 보일러 및 가스 설비 폭발(3.23), 엘리베이터 고장 및 안전 사고 불안감(3.17)이 그 다음 순으로 높게 나타났다.

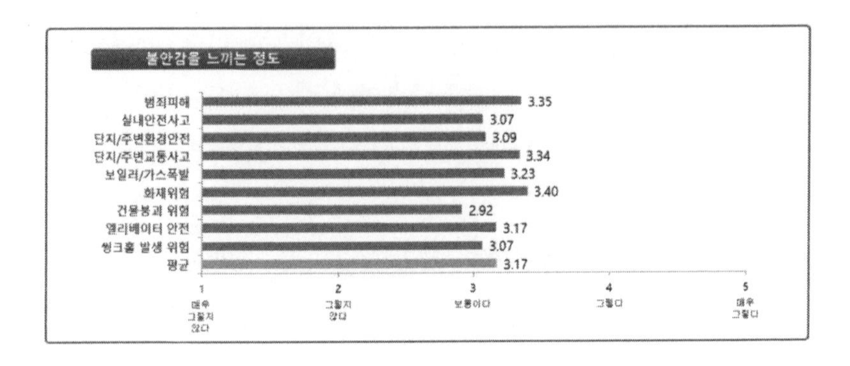

누가 더 불안한가

성별 차이를 보면, 여성이 남성보다 주택과 주변환경의 안전에 대해 전반적으로 불안하게 느끼고 있는 것으로 나타났다. 특히 범죄 피해, 엘리베이터 안전, 씽크홀 발생 위험에 대해 여성이 남성보다 더 불안감을 갖고 있었다.

연령별로는 30대가 범죄 피해(3.51), 실내 안전 사고(3.29), 단지 및 주변 환경 안전(3.32), 단지 및 주변 도로사고(3.55), 보일러 및 가스폭발(3.34), 건물 붕괴(3.07)에 대한 불안감이 다른 연령대에 비해 높았다. 30대의 불안감이 높은 반면 연령이 높아질 수록 불안감이 낮아지는 경향을 보였다.

살고 있는 주거 유형에 따라서는 단독 주택 거주자가 보일러 및 가스 폭발, 화재 위험, 건물 붕괴에 대한 불안감이 높았다. 아파트 거주자의 경우 엘리베이터 고장 및 안전 사고 불안감이 높은 것으로 나타났다.

자녀가 어릴 수록 주택 및 주변 환경에 대한 불안감 정도가 높게 나타났는데, 자녀가 유치원 이하인 경우 실내 안전사고, 단지 및 주변 환경 안전에 대한 불안감이 가장 높았다. 초등학생인 경우 범죄 피해, 단지 및 주변 도로 안전사고, 엘리베이터 고장 및 안전 사고에 대한 불안감이 높게 나타났다. 어린이 안전 사고의 66%가 집에서 발생하는 등 주거 환경의 안전에 대한 문제가 심각한 수준이다.[3]

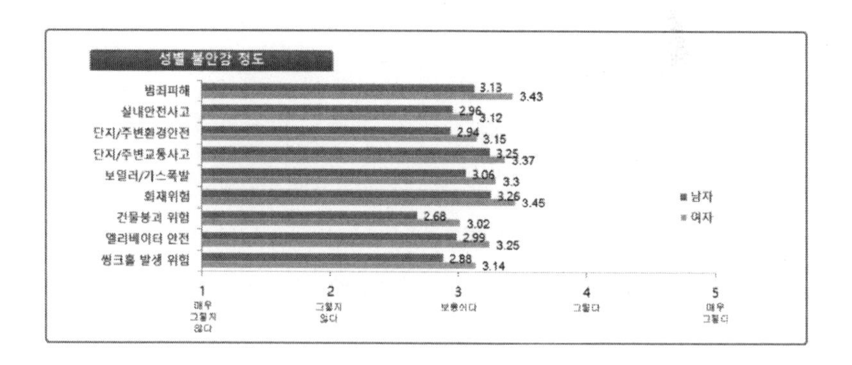

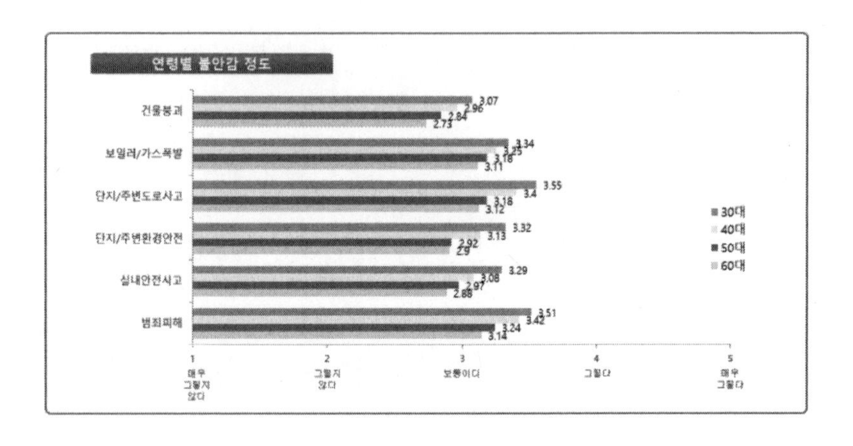

실내 환경 스트레스 주범은?

현재 살고 있는 주택의 실내 환경에 대해서는 미세 먼지(3.63), 층간 소음(3.59), 층간 흡연(3.49), 실내 습도(3.40), 결로(3.33) 순으로 불편하거나 신경 쓰인다고 응답하였다. 최근 사회적으로 이슈가 되는 환경문제인 미세먼지, 층간 소음, 층간 흡연에 대한 불만이 높았다.

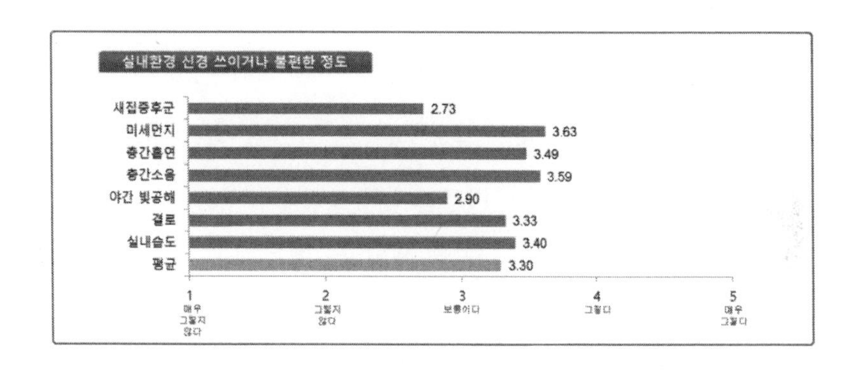

미세먼지 공포

먼지는 대기 중에 먼지란 대기 중에 떠다니거나 흩날려 내려오는 입자상 물질로 석탄, 석유 등의 화석연료를 태울 때나 공장, 자동차 등의 배출가스에서 많이 발생한다.[4]

미세먼지는 지름이 10㎛보다 작은 미세먼지(PM10)와 지름이 2.5㎛보다 작은 미세먼지(PM2.5)로 나뉜다. PM10이 사람의 머리카락 지름(50~70㎛)보 다 약 1/5~1/7 정도로 작은 크기라면, PM2.5는 머리카락의 약 1/20~1/30에 불과할 정도로 매우 작다. 미세먼지는 천식과 같은 호흡기계 질병을 악화시키고, 폐 기능의 저하를 초래한다. 세계보건기구(WHO)는 미세먼지(PM10, PM2.5)에 대한 대기 질 가이드라인을 1987년부터 제시해 왔고, 2013년에는 세계보건기구 산하의 국제 암 연구소(IARC, International

Agency for Research on Cancer)에서 미세먼지를 1군 발암물질로 지정하였다.

환경부의 실시간 미세먼지 농도 자료를 분석한 결과 2016년 3월 1일부터 4월 10일까지 미세먼지 농도가 기준치를 초과한 일수는 경기와 전북이 12일로 가장 많았다. 이어 서울, 인천, 강원이 뒤를 이었다.[5]

실내 환경 때문에 불편하거나 신경 쓰이는 정도를 묻는 조사에 응답자는 미세 먼지가 가장 불편하고 신경 쓰인다고 하였다. 남자(3.52)보다 여자(3.68)가 더 불편하거나 신경 쓰인다고 응답하였으며 강남 지역과 인천 지역 거주자가 미세 먼지에 대한 스트레스가 다른 지역보다 높은 편이었다.

지역 별로는 강남지역과 인천 지역 거주자의 불만이 가장 높았고 월 평균 소득이 800만원 이상의 고소득자가 더 신경 쓰이거나 불편하다고 응답하였다.

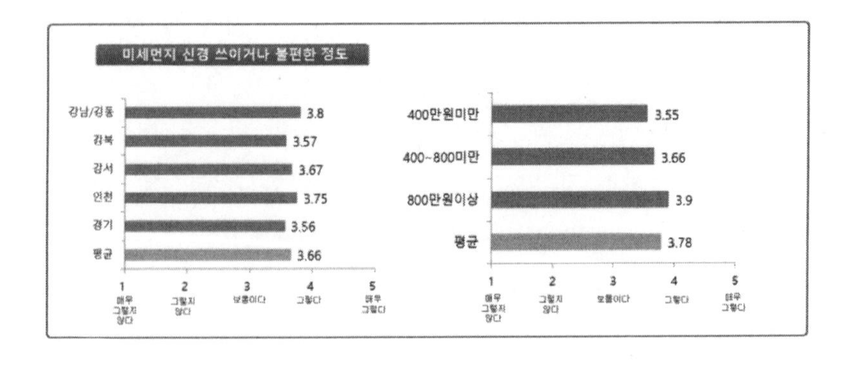

미세 먼지 외에도 새집증후군이 실내 환경 스트레스로 작용하고 있다. 새집증후군은 새로 지은 주택에 입주했을 때 발생하는 유해물질로 인해 오염된 실내공기에 의해 두통, 눈, 코, 목 등의 이상과 구토, 어지러움, 가려움증 등 거주자의 건강에 이상을 일으키는 증상을 말한다.

환경부는 2004년 5월 다중이용시설 등의 실내공기질 관리법을 시행하면서, 공동주택 신축 시, 시공자로 하여금 6개 오염물질을 측정하여 주민들이 잘 볼 수 있는 게시판 등에 60일간 공고하도록 하였다.[6] 또한, 공동주택의 환기기준과 환기설비 설치기준을 마련하였고 환경부가 고시한 오염물질 방출 건축자재는 다중이용시설과 공동주택, 신축학교 등에서의 사용을 제한하고 있다.

새집증후군에 대한 스트레스를 조사한 결과 신경 쓰이거나 불편한 정도가 미세먼지 보다 낮게 나타났는데(2.73), 이는 최근 법적 규제가 강화되어 새로 짓는 주거 건물의 실내공기 질이 많이 개선되었기 때문인 것으로 보인다. 새집증후군에 대해서는 자녀가 없는 경우보다 있는 경우가, 월 소득이 800만원 이상인 고소득자의 경우 새집증후군이 더 신경 쓰이거나 불편하다고 응답한 것으로 나타났다.

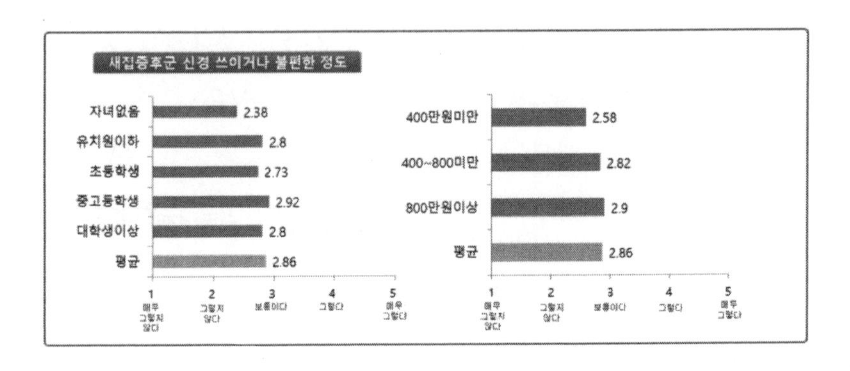

이웃이 사촌? 이웃이 스트레스

공동주택 거주자는 이웃이 사촌이 아니라 실내 환경에 피해를 주는 스트레스를 유발하는 사람인 경우가 많다. 벽과 바닥을 공유하는 공동 주택 거주자는 인접한 이웃으로부터 층간 소음과 층간 흡연의 피해를 고스란히 볼 수 밖에 없다.

층간 소음 문제는 지속적인 스트레스에 시달려 살인, 폭력 행위로 까지 이어지는 심각한 양상을 보이고 있다. 최근 경기도 하남시에서 위층에 사는 60대 부부에게 흉기를 휘둘러 부인을 숨지게 한 30대는 "아래층을 배려하지 않는 행동에 화가 나 범행했다"고 진술한 것으로 전해졌다.[7]

국민권익위원회는 3,040명을 대상으로 층간 소음 실태 조사를 하였는데, 설문조사 결과에 따르면 응답자의 88%가 층간 소음으로 스트레스를 받은 적이 있는 것으로 조사되었다.[8] 세부적으로 층간 소음 스트레스를 받은 응답자가 79%, 잦은 항의로 인한 스트레스를 받은 응답자가 9%를 차지했다. 응답자의 54%는 층간 소음으로 인해 이웃과 다툰 경험이 있었다. 전체 가구의 65%가 공동주택에 거주해 층간 소음으로 인한 갈등 우려가 높으며, 말싸움(44%), 보복(7%), 몸싸움(3%)순으로 조사되었다. 또한 이웃과 다투지 않는 경우에는 층간 소음을 해결하기 위해 응답자의 22%가 층간 소음 방지용품을 구매였으며, 층간 소음 고통으로 이사(8%)를 가거나 병원치료(2%)까지 받은 적이 있는 것으로 응답했다.

아파트에 거주자 하는 93%가 층간 소음으로 인하여 스트레스를 받았고, 오피스텔 거주자의 91%, 연립. 빌라 거주자의 88%, 기타 거주자의 82%, 단독주택 거주자의 52%가 층간 소음으로 인한 스트레스 경험이 있다고 응답하였다. 응답자들은 층간 소음 스트레스 발생원인으로 아이들의 뛰는 소음(36%), 가전제품 등의 사용 소음(18%), 어른이 걷는 걸음(16%), 악기연주(9%), 문 여닫는 소음(9%) 등을 지적했다.

본 조사 결과 층간 소음 스트레스는 미세 먼지 다음으로 높게 나타났는데(3.59), 응답자의 성별, 주택 평형과 자녀 유무에 따라 차이가 있었다. 층간 소음 스트레스는 응답자 연령과 주택 규모에 따라 차이가 있었는데, 30대와 40대가 50대, 60대에 비하여 층간 소음 스트레스 정도가 높았다. 연령대가 낮을수록 층간 소음에 민감하게 반응하는 것으로 나타났다. 또한 40평 이상 규모 거주자는 40평 이하에 비하여 상대적으로 스트레스가 낮았다.

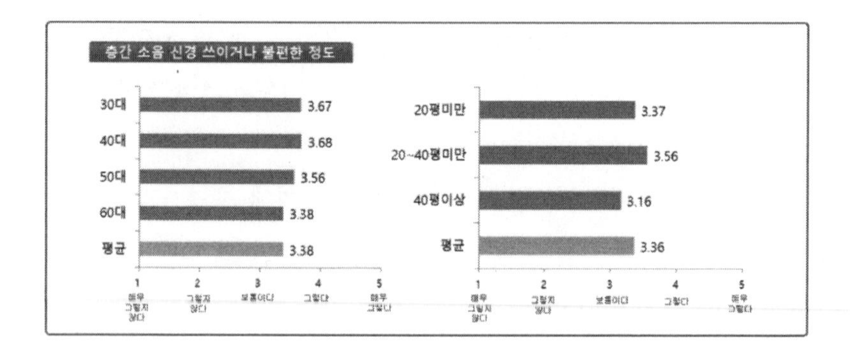

아파트 등 공동주택에서 많은 주민이 층간 소음 못지 않게 층간 흡연으로 인해 고통 받고 있다. '층간 흡연' 피해는 갈수록 늘고 있지만 규제할 만한 수단은 없는 실정이다.

국민권익위원회에 따르면 2011년부터 최근 4년간 국민 신문고에 접수된 공동주택 간접흡연 피해는 총 1025건이다. 연도별로는 2011년에 158건, 2012년에 219건, 2013년에 298건, 2014년에 350건 등으로 증가하고 있는 추세이다. 주택 유형에서는 아파트가 전체 96.7%를 차지해 압도적으로 많았다. 피해를 야기한 흡연 장소는 베란다 · 화장실 등 집 내부가 절반 이상인 524건으로 집계됐다. 계단 · 복도 등 공용부분이 전체 31.9%에 해당하는 311건으로 뒤를 이었다.[9]

본 조사 결과 층간 흡연에 대해서 미세 먼지, 층간 소음 다음으로 신경 쓰이거나 불편한 정도가 높았다(3.49). 이러한 불만은 성별, 주택 평형과 자녀 유무에 따라 차이가 있었다.

층간 흡연에 대해서 여자(3.58)가 남자(3.24)보다 더 예민하게 반응하였다. 그리고 40평형 거주자의 경우 신경 쓰이거나 불편한 정도가 가장 낮았고(3.16), 20평형 미만(3.56), 20평에서 40평형 미만인 경우(3.64) 상대적으로 높게 나타났다. 즉 소형 주택 거주자의 층간 흡연 스트레스가 더 크다고 할 수 있다. 또한 자녀가 없는 경우 보다는 자녀가 있는 경우 층간 흡연에 대한 스트레스가 더 큰 것으로 나타났다.

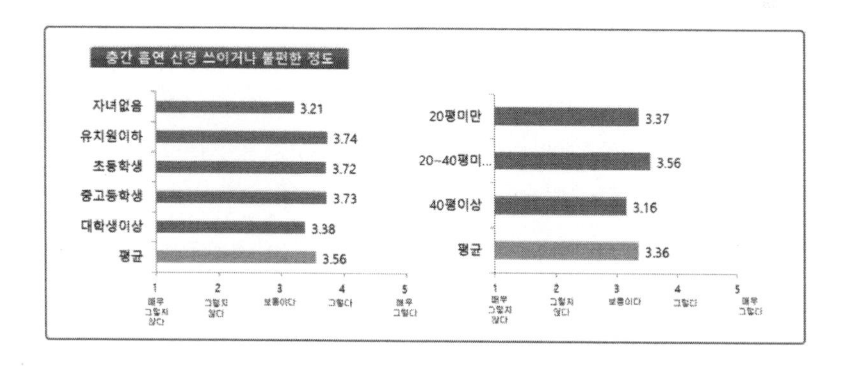

겨울철 실내환경

결로는 공기 중의 수분이 물체 표면에서 물방울로 맺히는 현상을 말한다. 환절기 낮과 밤의 온도차이가 커지면 집 안 창문 등에 물방울이 맺힐 수 있고 물방울이 흐르는 곳에는 곰팡이가 핀다. 곰팡이는 미관을 해칠 뿐 아니라 건강에도 해롭다. 비염, 천식, 아토피 등 호흡기 · 피부 질환의 원인이 된다.[10]

국토교통부는 아파트 드레스룸과 붙박이장에 결로가 발생하지 않도록 기준을 담은 '주택건설기준 등에 관한 규정' 개정안을 발표했다.[11] 주택건설기준 등에 관한 규정은 아파트 사업계획 승인 대상인 30가구 이상 아파트를 건설할 때 적용되는데, 이번 개정안에는 결로를 방지 하기 위하여 붙박이장과 드레스룸은 외벽에 접하지 않게 하라는 내용이 포함되어 있다. 또한 배기설비와 난방설비를 의무적으로 설치해 결로가 발생하면 이를 제거할 수 있게 하거나 발생할 가능성을 낮추도록 했다.

본 조사 결과 주택유형에 따라서 결로에 대해 신경 쓰이거나 불편한 정도가 다르게 나타났다. 다세대주택(3.53)과 단독주택(3.51) 거주자가 결로에 대한 불만족 정도가 아파트(3.24) 거주자보다 높았는데, 이는 다세대 주택의 단열 시공이 상대적으로 불량했기 때문인 것으로 판단된다. 연령별로는 30대가 실내습도에 대해 신경 쓰이거나 불편한 정도가 다른 연령대에 비해 높았다.

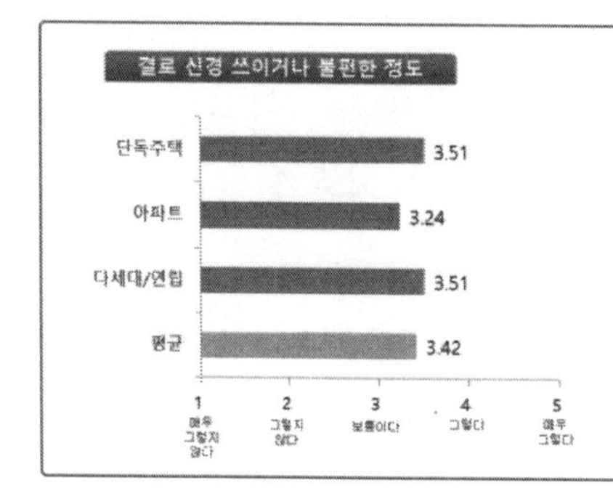

결로는 공기 중의 수증기가 차가운 표면에 닿아 생기는 현상으로서 곰팡이류, 각종 균의 번식으로 인해 건강에 영향을 미치고 마감재의 손상 변형을 초래하고 구조체에도 해를 끼치게 된다. 단열이 미비하거나 단열재 접합부 시공이 부실할 경우 발생함

또 다른 스트레스 - 야간 빛 공해

빛 공해(Light Pollution)는 인공조명 탓에 밤에도 대낮처럼 밝아 편안한 휴식과 수면을 방해하는 것을 말한다.

서울시는 2014년 "서울시 빛 공해 환경영향평가 및 측정조사 기술용역" 에서 25개 자치구를 대상으로 319개소에 대한 조명 용도별 측정한 결과, 조사대상의 약 41%가 빛 공해 방지법에 의한 빛 방사 허용 기준을 초과한 것으로 나타났다. 이에 서울시는 빛 공해를 소음, 악취 등 3대 시민생활불편 요인으로써 빛 공해를 대표적인 공해 중 하나로 규정하고 이를 개선하기 위한 정책을 추진하고 있다.[12]

또한 대형 전광판에 대한 현황조사 및 측정실태 조사에서 전국 12개 지역의 총 150개 소 중 자정이전 기준으로 36개소, 자정이후 기준으로는 65개가 휘도 기준치를 초과 하였다. 주유소, 종교시설, 옥외체육시설 조명에 대한 빛 공해 실태조사에서는 주유소의 98%, 종교시설의 65%, 옥외체육시설의 88%가 관련 기준을 초과하는 것으로 나타나 빛 공해 유발가능성을 보여주었다.

빛 공해 피해를 호소하는 민원도 해마다 크게 늘어나 최근 3년간 연평균 3천여건에 달했다. 각 지자체의 최근 3년간 빛 공해 관련 민원 현황을 잠정 집계한 결과, 해마다 3천여건 이상의 빛 공해 민원이 각 지자체에 접수된 것으로 파악되었다.[13]

본 조사 결과 야간 빛공해로 불편을 겪거나 신경 쓰이는 정도는 다른 실내환경 스트레스 점수보다는 낮았으나(2.91) 강남 지역이 상대적으로 높게 나타났다(3.14). 이는 타지역에 비해 번화한 상권이 밀집해 있어 야간에도 심야 영업을 하는 경우가 많고, 고층 건물의 야간 조명 등으로 인한 피해를 반영한 것이다.

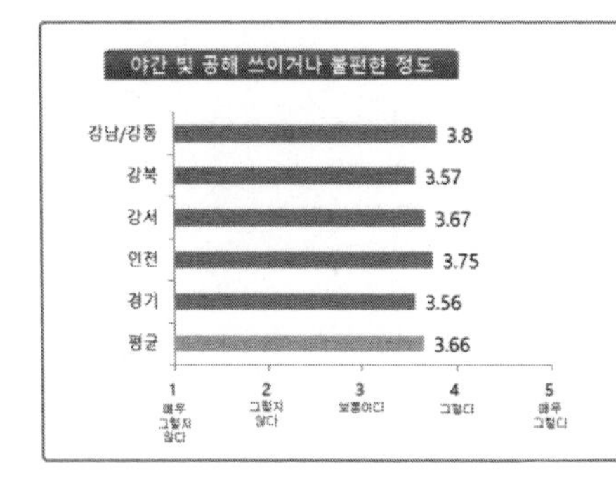

한국의 빛 공해 정도가 주요 20개국(G20) 중 두 번째로 높다는 최근 연구 결과가 눈길을 끈다. 인공위성으로 밤하늘을 살펴본 결과 한국은 국토면적의 89.4%에서 빛 공해에 노출된 것으로 확인돼 G20 국가 가운데 이탈리아(90.3%)에 이어 두 번째로 빛 공해 노출 정도가 심한 것으로 확인됐다. 빛 공해 피해를 호소하는 민원도 해마다 크게 늘어나 최근 3년간 연평균 3천여 건에 달했다.

출처: 연합뉴스 2016.6.16 www.yonhapnews.co.kr

안전하고 스트레스 없는 집

살기에 안전하고 환경 스트레스가 없는 집을 만들려면 처음부터 집을 지을 때 주변 환경과 집의 안전과 환경을 고려하여 짓는 것도 중요하지만 살면서 안전 및 환경 관리를 철저히 하고, 또한 이웃에게 피해를 주지 않도록 생활관리 규칙을 지키고 이웃을 배려하는 습관이 중요하다고 하겠다. 따라서 이웃 공동체가 소통하면서 층간 소음이나 층간 흡연 문제를 해결해 나가는 것이 중요하다.

환경부와 한국환경공단은 '층간소음 이웃사이센터'를 만들어 중재를 하고 있다. YMCA는 이웃분쟁조정센터 등을 운영하고 있다. 서울시도 서울이웃분쟁조정센터를 운영하고 있으나 이들 기관의 조정을 통해 환경 문제를 해결해 나가기에는 어려움이 많다.

중장기적으로 캠페인이나 교육 등을 통해 주민들이 서로 대화와 소통을 하면서 이웃에게 피해를 입히지 않도록 하고, 자율적으로 갈등을 조정할 수 있는 문화를 만들어가는 게 중요하다고 하겠다.

또한 관련 법규의 개정 및 제정, 철저한 시공과 유지 관리를 통하여 안심하고 쾌적하게 살 수 있는 환경을 조성하는 것이 필요하다.

집필자: 박은선

3

스마트한 집

제3장 스마트한 집

스마트폰 하나로 주택 내 가전, 냉난방, 방범 시스템, 조명 등 모든 것이 연결되는 집, 스마트 홈은 편리하고 똑똑한 집을 넘어 가족의 안전, 건강, 실내환경 관리 역할까지 담당하는 새로운 미래 주거 서비스로 자리매김 하고 있다. 그렇다면 다양한 스마트홈 서비스 중 우리가 집에서 생활하면서 꼭 필요로 하는 스마트 홈 서비스는 무엇일까. 이에 대한 사용자 조사 결과를 바탕으로 우리가 실생활에서 사용하기를 원하는 스마트 홈 서비스가 적용된 똑똑한 집은 어떤 모습일지 살펴 보고자 한다.

스마트홈 시장 동향

2015년 국내 스마트홈 시장은 10조원을 돌파한 것으로 나타났으며, 향후 2019년까지 연평균 20% 이상 성장하며, 2019년 21조원까지 확대될 전망이다.[1] 2016년부터 2019년까지 향후 4년간 연평균 성장률은 20.4%로 예상되며 연도별 시장규모는 2017년 13조2800억원, 2018년 16조6700억원에 이어 2019년에는 21조 1700억원에 이를 것으로 예상된다.[2] 세계 시장 규모는 2015년 약 460억불에서 연평균 14.07% 성장하며 2022년에는 1,217억불이 될 것으로 예상하고 있다.[3]

2016년 독일 IFA, 국제 가전 전시회에서 400여개 참여 기업이 AI, 에너지 및 보안 쇼핑 부문과 결합한 스마트홈 기술을 선보였다.[4] 일본의 벤처기업 '세븐 드리머스'는 세계 최초로 빨래 개는 로봇을 공개했으며, 독일 지멘스는 개발중인 주방 로봇 '마이 키'를 소개했다. 마이 키는 사용자와 대화를 나누는 방식으로 가전을 제어하고 정보도 제공한다. 마이 키는 사용자가 퇴근길에 요리 메뉴를 결정해 알려주면 냉장고에서 부족한 식재료를 찾아 알려줄 수 있고, 요리를 할 때는 단계별로 조리법을 알려준다.

일본의 소니는 도쿄 전력과 제휴하여 사물 인터넷(IoT)을 활용한 스마트홈 서비스 시장에 진출할 예정이다.[5] 에어컨이나 조명, 냉장고 등 개별 설비 가동 상황이나 전력 사용량, 실내 온도를 실시간으로 집계하여 소비전력량이 높은 가전의 사용을 스마트폰으로 제어할 수 있도록 할 계획이다. 또한 가전 제품 원격제어와 에너지 절약 외에도 노인과 아동 안전관리 서비스를 공동으로 제공할 계획이다.

국내 공기업인 L사는 입주민 주거 편리성을 획기적으로 높이는 스마트홈 서비스 확산에 앞장서고 있다.[6] 신축 중인 아파트에 스마트홈 시스템을 도입하기 위해 통신사와 협력하여 홈네트워크와 스마트홈 플랫폼의 연동을 추진하는 한편 온실가스 감축을 위해 태양광, 전력저장장치(ESS) 등을 설치하여 건설 공사비를 절감함과 동시에 입주자의 전기요금 부담도 경감시킨다는 계획이다.

S이동통신사는 건설사와 스마트홈 사업협력을 위한 MOU를 체결하고 스마트홈 서비스가 적용된 아파트의 공급을 시작하였다.[7] 이 아파트 입주자들은 입주 시 제공되는 조명, 난방과 같은 다양한 빌트인 기기들은 물론 본인이 구입한 냉장고, 세탁기, 공기청정기 등의 스마트홈 연동 가전제품들을 하나의 스마트홈 앱을 통해 제어하고 관리할 수 있게 된다. 또한 일정기간 동안 집안의 전기, 수도 등 에너지 사용량이 전혀 없을 경우 보호자 및 경비실에게 위험 알림을 전송해 관심과 보살핌이 필요한 부모나 독거노인을 보호할 수 있는 실버케어 서비스도 제공한다. 이 외에도 입주자들에게는 날씨, 위치정보, 이동패턴 등의 데이터 분석을 바탕으로 입주자의 외출 혹은 귀가를 인식해 자동으로 조명, 난방 등이

켜고 꺼지거나 현관 카메라가 촬영한 사진을 통해 부재중 방문자를 확인할 수 있는 홈시큐리티 기능 등이 제공된다.

L이동통신사의 홈IoT는 연동제품의 음성제어와 빅데이터 분석을 통한 추천 기능을 제공하는데, 거주자의 이용 정보 빅데이터를 활용해 이용자의 행동패턴을 분석하고 출·퇴근, 주말, 여행 시 각각 모드를 추천한다.[8] '외출모드'를 설정해두면 외출 중 창문 열림 감지 시 거실 조명과 TV가 켜지고 사용자에게 알림이 발송되며, 이용자는 홈CCTV로 위험을 확인한 후 보안업체 출동을 요청할 수 있게 된다.

최근 분양하는 공동 주택에는 안전, 방범, 에너지 관리 관련 스마트홈 기술이 적용되고 있는데 가스밸브, 난방, 조명 등을 제어할 수 있고, 공지사항이나 부재중 방문자 정보 확인, 관리비 조회가 가능하다. 또한 연월간 에너지 사용량을 확인 할 수 있고, 외출 설정이 가능하다.

래미안 서초 에스티지　　대림 e편한세상 광고　　해운대 자이 2차

출처: 각 사 홈페이지

H건설사가 동탄 2지구에 분양한 아파트에는 사물인터넷(IoT) 기술과 주거 시스템을 결합한 새로운 주거기능을 선보였다.[9] 기상시간이나 취침시간에 맞춰 조명을 끄거나 켤 수 있고, 세대 현관문 개폐 여부 및 저층부의 창문 침입 여부 등도 원격으로 확인할 수 있다. 집에 도착하기 전에 난방을 켜거나, 집과의 거리가 멀어지면 자동적으로 꺼지도록 할 수도 있다. IoT 기술과 호환이 되는 공기청정기나 에어컨, 제습기, 로봇청소기 등과 스마트폰이 연동되어 사용이 가능하다.

D건설사가 경기도 광주시 오포읍에 분양한 아파트 또한 방문자 영상확인 및 공동현관 문열림이 가능하고, 외출시 방범기능 설정을 하면 내부침입 상황이 경비실에 자동으로 통보된다. 스마트폰을 통해 세대 내 에너지의 사용량을 월별 그래프로 확인 할 수 있고, 집 밖에서도 가스밸브를 차단할 수 있고 조명과 난방설비를 제어할 수 있다.[10]

가장 원하는 스마트홈 서비스는?

국내외에서 개발 및 적용 단계에 있는 스마트홈 서비스 중 안전/방범, 에너지/환경, 가전 제어, 고령자 서비스, 건강관리 서비스 등 5개 카테고리의 12개 서비스를 대상으로 사용자 선호를 조사하였다.

그 결과 화재안전(95.2%), 방범(91.4%), 에너지 사용 현황 알림(85.2%), 건강 관리(82.1%), 외출시 집안상태 관찰(79.9%) 서비스에 대한 선호가 높은 것으로 나타났다.

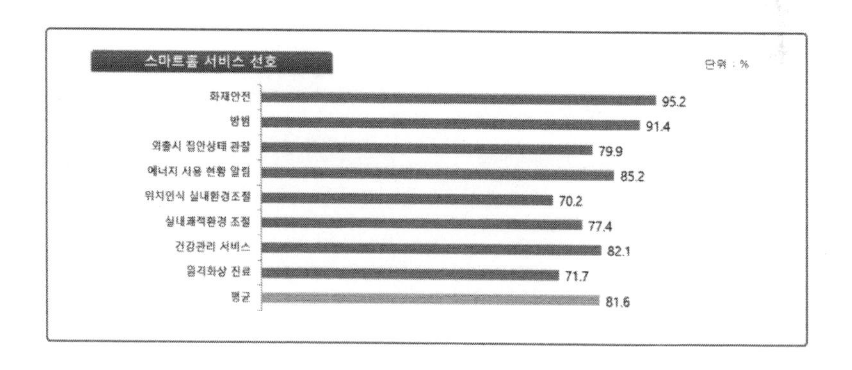

안전 관련 스마트홈 서비스가 가장 필요

화재 및 방범 관련 서비스 등 안전과 직접적으로 관련된 스마트홈 서비스에 대한 선호가 높게 나타났다.

외출 중 스마트 폰으로 난방 및 가스밸브를 차단하는 화재 안전 서비스를 12개 스마트홈 서비스 중 1위로 가장 선호하였다.
또한 외출 중 현관의 잠금 장치가 열리면 스마트 폰으로 알리거나 사진을 전송하는 방범 서비스에 대한 선호가 높게 나타났는데, 이를 연령대 별로 보면 30대가 가장 많이 선호하였다. 한편 소득이 800만원 이상인 경우 방범 기술에 대한 요구가 높게 나타났다.

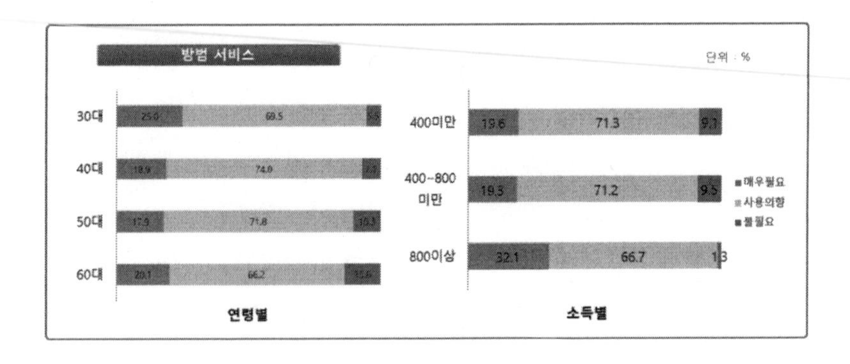

이러한 요구를 반영하여 최근 분양하는 아파트에는 화재 및 방범 관련 스마트홈 서비스를 대부분 제공하고 있는데, L통신사는 기존 주거 건물에도 편리하게 적용할 수 있는 안전 서비스를 개발하여 제공하고 있다.

관리비 절약도 스마트하게

전기, 수도, 가스 에너지 사용 현황을 알려 주고 동일 평형에너지 사용량 비교하여 에너지 목표치를 설정하고 알림 기능을 갖는 에너지 사용현황 알림 서비스는 화재, 방범 서비스에 이어 3위로 선호 순위가 높았다(85.2%). 이는 저성장 시대 불안한 경제 상황에서 관리비라도 절약하고자 하는 요구와 지구환경 보호라는 환경 문제에 대한 의식이 중요하게 작용한 것으로 보인다.

연령별로 보면 스마트폰 및 첨단 기술 사용에 익숙한 30대의 경우 다른 연령대에 비하여 선호 요구가 높았으며(89.4%), 연령이 높을 수록 선호가 낮아지는 경향을 보였다.

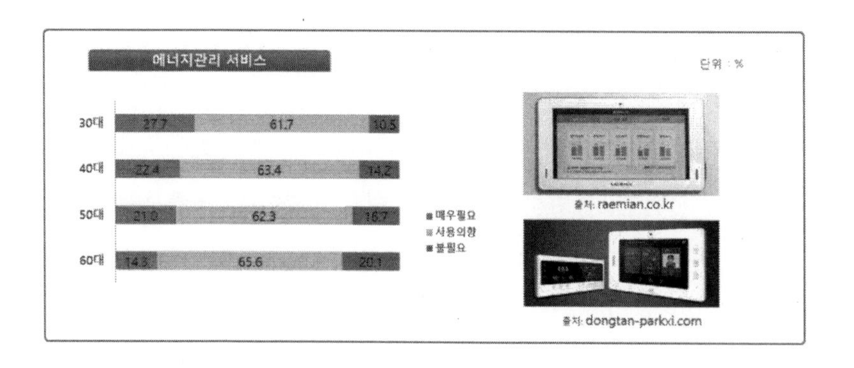

이러한 요구를 반영하여 국내에서 최근 분양하는 아파트에는 스마트폰으로 에너지를 효율적으로 관리할 수 있도록 실제 사용량과

아파트 평균 사용량을 비교 할 수 있는 에너지 관리 서비스를 제공하고 있다.

독일 이동통신사인 마젠타 모바일은 건물 내부에 1개의 센서, 외부에 3개의 감지기를 탑재해 풍속, 온도, 습도, 강수량 등을 수집하고 스마트폰을 통해 알람을 받아 에너지를 효율적으로 사용할 수 있는 '마젠타 스마트홈'을 개발하였다.[11]

바쁜 일상 속 건강관리가 필요

욕실에 설치된 센서가 체온, 체중 혈압 등을 체크하고, 스마트 변기를 통해 당뇨 등 질병징후를 감시하는 건강관리 서비스는 아직 상용화 되지 않고 있는 서비스이지만 12개 항목 중 선호 순위가 4위로 높은 편이었다(매우 필요 21.5%, 사용 의향 60.6%).

특히 판매서비스직 종사자의 경우 매우 필요하다는 응답이 31.7%로 높았고 불필요 하다는 응답은 9.9%로 낮게 나타났다. 직업특성상 근무시간이 길고 퇴근 시간이 늦기 때문에 건강관리에 할애할 시간이 다른 직군에 비하여 상대적으로 적기 때문인 것으로 판단된다.

또한 모니터를 통해 원격으로 의사의 진단 및 약 처방이 가능한 원격 화상 진료 서비스는 12개 기술 항목 중 8위로 매우 필요하다는 응답이 14.3%로 낮은 편이었고 불필요 응답은 28.3%로 높은 편이었다. 혼자 사는 경우 사용할 의향이 있다고 응답한 경우가 83.8%로 선호가 높았고, 불필요 응답이 16.2%로 가족 수 2인 이상인 경우에 비해 낮았다.

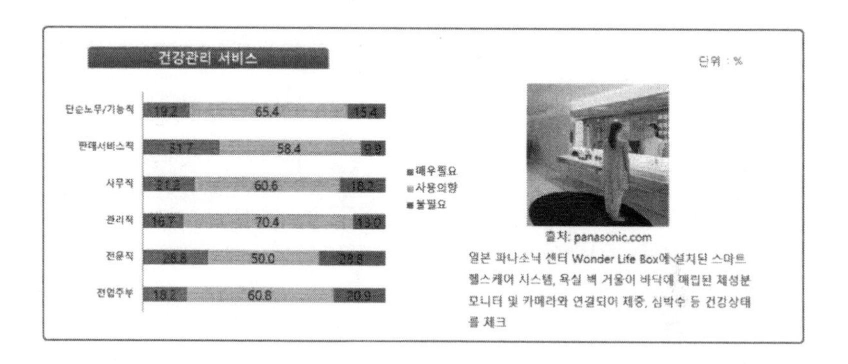

출처: panasonic.com
일본 파나소닉 센터 Wonder Life Box에 설치된 스마트 헬스케어 시스템, 욕실 벽 거울이 바닥에 매립된 체성분 모니터 및 카메라와 연결되어 체중, 심박수 등 건강상태를 체크

모니터를 통해 원격으로 의사의 진단 및 약 처방이 가능한 원격 화상진료 서비스는 혼자 사는 경우 사용할 의향이 있다고 응답한 경우가 83.8%로 선호가 높았고, 불필요 응답은 16.2%로 가족 수 2인 이상인 경우에 비해 낮았다.

최근 보건복지부는 보건소를 중심으로 모바일 건강관리서비스를 제공하는 '모바일 헬스케어 시범사업'을 시작하였다.[12]

이는 정보통신기술과 건강검진 빅데이터를 활용해 모바일 앱과 스마트폰과 연동되는 활동량계, 혈압계 등 스마트 기기로 맞춤형 건강관리를 해 주는 사업이다. 혈압, 혈당이 높거나, 복부 비만 등으로 만성질환 위험요인을 가지고 있는 사람을 대상으로 스마트폰으로 혈압, 혈당, 활동량 등 자신의 건강상태와 생활습관을 수시로 확인하게 되며, 건강. 운동. 영양 등의 전문상담과 건강관리로 건강생활을 실천할 수 있도록 도움을 받는다.

아이가 집에 혼자 있을 때가 불안

외부에서 집안 상태를 실시간 동영상으로 확인 가능한 서비스는 응답자 79.9%가 선호하는 것으로 나타났는데, 이는 최근 증가하고 있는 주택 내 안전 사고 및 범죄에 대한 불안감 때문 인 것으로 보인다.

자녀가 집에 혼자 있을 때, 또는 반려동물이 혼자 있을 때 안전을 확인하고 필요할 경우 의사 소통 할 수 있기를 원하는 경우 외출 시 집안 상태 관찰 서비스가 유용한데, 자녀가 만3세 이상 유치원 이하인 경우 가장 요구가 높고(90.5%), 다음으로 자녀가 중고등학교 학생인 경우(81.7%)였다.

자녀가 만3세 이상 유치원 이하인 경우에는 돌봐주시는 분이 계셔도 안전이나 보육이 걱정되기 때문에, 자녀가 중고등학교 학생인 경우는 공부를 하고 있는 지, 게임을 하고 있는 지 등 행동관찰을 하고 싶거나 대화 등 의사 소통을 하고 싶은 요구가 반영된 것으로 보인다.

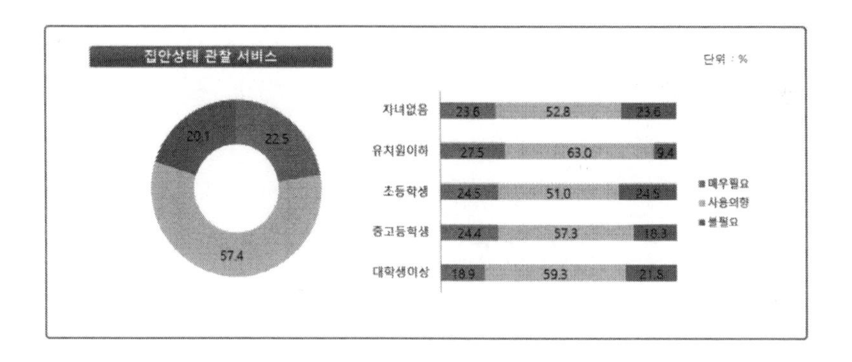

실내환경 조절도 척척

스마트폰으로 각 실의 실내온도를 조절할 수 있는 서비스는 12개 항목 중 선호 순위 6위였는데, 매우 필요하고 바로 사용하고 싶다는 응답과 설치되어 있으면 사용할 의향이 있다는 응답이 77.4%로 나타났다. 남자가 여자보다 실내환경 쾌적조절 서비스 요구가 높은 편이었다(남자 82.1%, 여자 75.5%) 맞벌이 가정의 경우 요구가 높은 편이었다(맞벌이 82.2%, 비맞벌이 75.2%).

소득이 높을 수록 실내환경 쾌적조절 기술 요구가 높은 편이었는데, 월 800만원 이상 매우 필요하다고 응답한 경우가 24.4%였다. 또한 자녀가 중고등학생인 경우 요구가 높은 편이었는데, 선호 87%, 매우 필요 21.4%로 나타났다. 이는 자녀 학습 시 실내환경을 쾌적하게 유지해 주고자 하는 하는 요구가 반영된 것으로 보인다.

위치인식을 통한 실내환경 조절서비스는 스마트폰을 통해 집에 가까이 왔음을 자동으로 인지하고 미리 조명과 에어컨, 난방 등 필요한 제품을 작동시켜 사용자를 맞이하는 기능이다. 12개 기술 중 선호 요구 9위였는데, 매우 필요하고 바로 사용하고 싶다는 응답과 설치되어 있으면 사용할 의향이 있다는 응답이 70.2%였다.

판매 서비스 직의 경우 요구가 높은 편이었는데(선호 81.5%, 매우 필요 20.4%), 이는 직업특성상 근무시간이 길고 퇴근 시간이 늦기 때문인 것으로 판단된다. 파트타임, 학생이나 무직, 전업주부 등 집에 있는 시간이 상대적으로 많은 경우 불필요하다고 응답한 비율이 높았다.

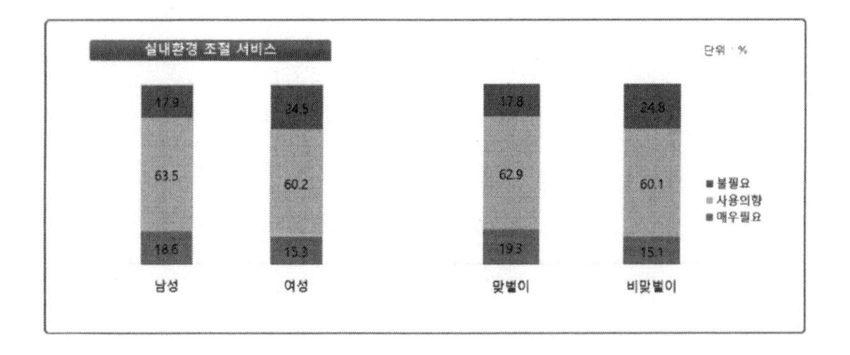

애플의 홈킷은 이러한 요구를 반영하여 기상, 외출, 귀가, 취침 등의 사용자 상태 인식을 통해 스마트홈 기기의 작동을 자동으로 제어할 수 있다. 즉 사용자의 위치 및 음성에 따라서 사용자의 상태를 인식해 현관문의 개폐는 물론, 조명, 에어컨, 난방 설비 등 스마트홈 기기를 자동으로 제어 할 수 있다.[13]

부모님 응급상황도 IoT로 빠르게 대처

고령자 응급상황 알림 서비스는 고령자에게 응급 상황 발생 시 가족에게 알려주는 기능으로 12개 기술 항목 중 선호 순위 7위로 나타났다(선호 76.7%, 매우 필요 26.7%). 매우 필요하다고 응답한 비율은 화재안전 다음으로 높게 나타났다.

60대의 선호 응답률이 가장 높았고(매우필요 29.9%, 사용의향 51.9%), 다음으로 30대가 높았다(매우필요 24.6%, 사용의향 53.95). 60대는 자신의 고령화에 대비한 요구, 30대는 노부모를 위한 서비스 요구가 반영된 것으로 보인다.

일정한 시간 움직임이 없을 시 가족에게 알려주는 기능인 고령자 움직임 감지 서비스는 12개 기술 항목 중 10위로 선호가 낮은 편이었다(선호 69.6%, 매우 필요 19.7%). 하지만 맞벌이의 경우 매우 필요하다(19.5%)와 사용의향이 있다(53.2%)는 응답이 높았는데

(72.7%). 이는 노부모를 직접 돌봐드릴 시간이 없는 맞벌이 가구의 요구가 반영된 것으로 보인다.

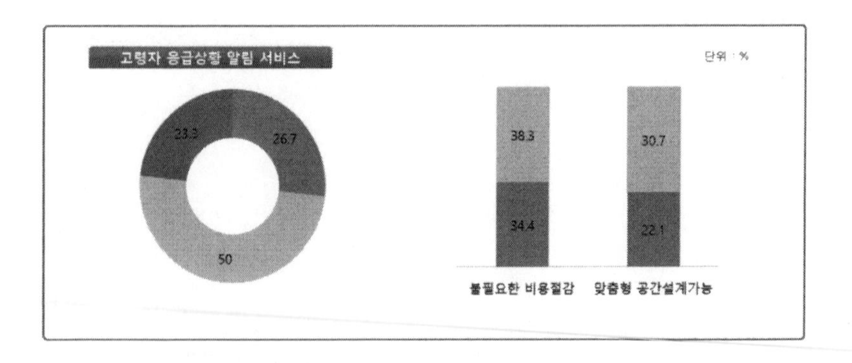

가전제품도 내 손안에

스마트폰을 이용하여 세탁기, 냉장고, 오븐, 에어컨, 청소기, 조명, 오디오 등을 원격으로 제어하는 가전제품 제어 서비스는 판매 서비스 직의 경우 요구가 높은 편이었다(선호 80.5%, 매우 필요 25.9%). 직업특성상 근무시간이 길고 퇴근 시간이 늦기 때문에 가전제품 제어 기술 요구가 높은 것으로 판단된다. 판매 서비스직 다음으로 관리직(74.1%), 전문직(74.1), 사무직(73.3%)이 선호하는 비율이 높았다.

냉장고안에 설치된 카메라를 통해 보관중인 식품을 스마트폰으로 확인할 수 있는 냉장고 내용물 확인 서비스는 12개 스마트홈 기술 중 가장 선호도가 낮았다(선호 57.9%, 불필요 42.1%). 다만 자녀가 중고등학생인 경우 요구가 높은 편이었는데(선호 64.9%, 매우 필요 17.6%), 이는 성장기 자녀의 식사 및 간식 준비를 위해 필요하다고 응답한 것으로 보인다.

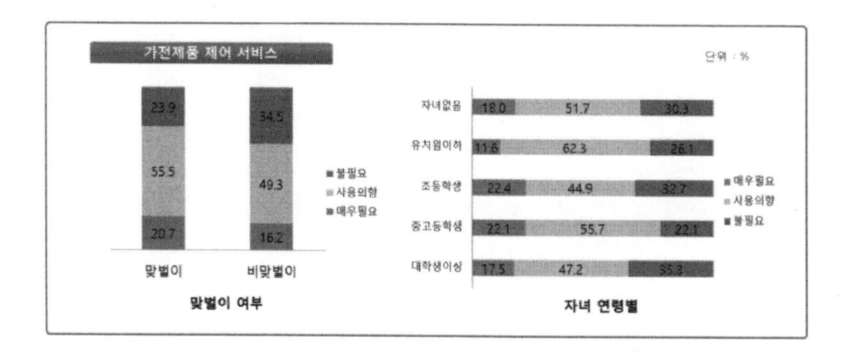

S사에서 개발한 신제품 냉장고는 사물인터넷(IoT) 기능을 본격적으로 적용한 것으로 보관중인 식품의 유통기한을 확인할 수 있고, 레시피를 검색하여 필요한 식재료를 구입할 수도 있다.[14]

맞춤형 스마트 홈 개발 필요

응답자가 가장 선호하는 스마트홈 서비스는 화재 안전, 방범,

에너지 사용현황 알림, 건강관리 서비스로 조사 결과 나타났다. 즉 안전과 에너지, 건강과 관련된 서비스는 누구에게나 필요한 스마트홈 서비스라고 볼 수 있다.

따라서 이러한 기본적으로 필요한 서비스는 낮은 비용으로 누구나 쉽게 이용할 수 있게 제공하는 것이 필요하다. 반면 연령, 성별, 가족, 맞벌이 여부 등 사회 인구학적 특성에 따라 요구가 달라지는 스마트홈 서비스는 필요로 하는 소비자에게 맞춤형으로 제공하는 것이 바람직하겠다.

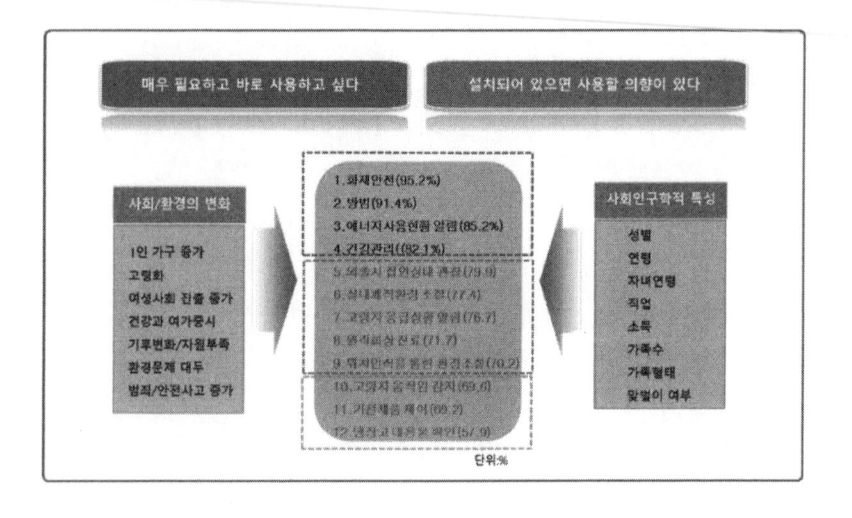

집필자: 박은선

4

융통성 있는 집

제4장 융통성 있는 집

라이프스타일, 가족 형태, 취향 등이 다양해지면서 생활 공간에 대한 요구가 변화하고 있다. 가족의 중요성이 부각되고 휴식 및 취미 활동에 대한 요구가 증가함에 따라 가족이 함께 할 수 있는 부엌과 거실, 휴식 기능이 강화된 욕실 등에 대한 요구가 증가하고 있다. 또한 가족이 함께 마당에서 텃밭을 가꾸며 소통하고 휴식을 취하며 힐링 할 수 있는 공간을 요구하는 경향이다.

생활에 맞게 공간 변경이 가능

같은 평형, 같은 구조의 아파트에 살아도 가족 수, 자녀 연령대,

취향, 생활 패턴 등 살아가는 모습은 각양각색이다. 따라서 내 가족의 생활과 취향에 맞게 마음대로 공간을 늘리고 줄여서 한정된 주거 공간을 최대한 효율적으로 사용하고자 하는 요구가 증가하고 있다. 최근 분양하는 아파트에는 입주자가 원하는 대로 공간을 변경할 수 있는 가변형 평면 설계를 도입하는 추세이다.

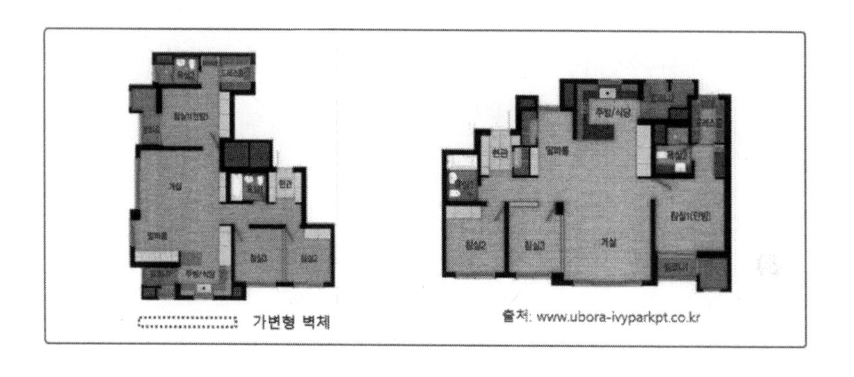

출처: www.ubora-ivyparkpt.co.kr

D 건설사가 경기도 광주시 오포읍에 분양하는 아파트는 실내 내력벽을 최소화하고 가변형 벽체를 설치하여 평면 구성을 다양화해 입주자들이 원하는 평면을 선택할 수 있게 함으로써 공간 활용도를 높인 획기적인 설계를 도입하였다.[1]

구조벽과 주방 및 화장실 같은 물 쓰는 공간을 제외한 나머지 공간을 원룸처럼 오픈 할 수 있다. 필요에 따라 공간을 분할하고 통합하여 방 배치를 자유롭게 변경할 수 있다. 이사를 가지 않고도 가변형 벽체를 이용하여 1인 가구의 재택근무를 위한 집과 대

가족이 함께 사는 집, 수납이 많은 집, 넓은 다이닝 공간이 있는 집, 중고생 아이들을 위한 서재와 학습공간이 중심인 집 등 다양한 생활방식을 담을 수 있는 구조로 변경할 수 있다.

가변형 평면 D 하우스 출처: www.daelim-apt.co.kr

이러한 가변형 벽체를 얼마나 선호하는지, 선호하는 위치를 조사하였다. 조사 결과, 90%에 달하는 많은 응답자가 가변형 벽체가 필요하다고 하였다(88.2%). 희망하는 가변형 벽체 위치는 거실과 식사실 사이를 가장 많이 선호하였고(40.2%), 다음으로 거실과 침실 사이(22.7%), 부엌과 식사실 사이(17.8%) 순으로 선호하였다.

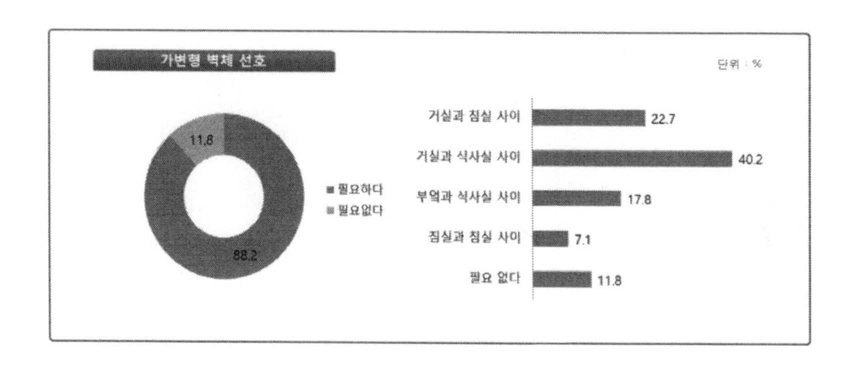

기존 가변형 벽체는 침실과 침실 사이에 설치되어 방을 하나로 터서 사용하거나 두 개의 방으로 나누어 쓸 수 있게 하는 경우가 많았는데, 조사 결과 응답자는 거실과 식사실 사이의 가변형 벽체를 더욱 선호하는 것으로 나타났다. 식사 공간과 거실을 필요에 따라 확장 또는 통합하여 가족 모임 또는 손님 접대 시 편리하게 사용하려는 요구가 반영된 것으로 보인다.

남성과 여성 모두 거실과 식사실 사이의 가변형 벽체를 가장 선호하였는데, 남성은 다음으로 거실과 침실 사이의 가변형 벽체를 선호하였고(31.9%), 여성은 부엌과 식사실 사이(20.7%)의 가변형 벽체를 선호하는 것으로 나타났다. 따라서 남성은 거실과 침실을, 여성은 부엌과 식사 공간을 필요에 따라 더 효율적으로 사용하기를 원하는 것으로 해석할 수 있다.

우리 집 맞춤 공간-알파룸

최근 제공되는 아파트에는 입주자 생활과 취향에 맞게 다양하게 사용할 수 있는 알파룸을 제공하고 있다. 알파룸은 필요에 따라 옷방, 서재, 창고, 맘스 오피스 등으로 다양하게 활용할 수 있다.

D 건설사가 하남시 미사동에 분양한 아파트에는 알파룸을 오픈해 주방공간과 연계한 가족 공간이 마련되어 있다. 주방 및 식당 좌측으로 키 큰 수납장과 책장이 형성되어 가족들을 위한 서재 및 휴식공간으로 활용 가능하다. 주방과 이어진 형태의 공간은 주방에서 일하는 주부와 다른 가족과 대화하기에 적합하다. 이 외에도 알파룸을 서재로 쓸 수 있도록 한 '아빠의 아지트', 대형 팬트리와 드레스룸으로 쓸 수 있는 '수납의 여왕' 옵션을 추가로 제공하였다.

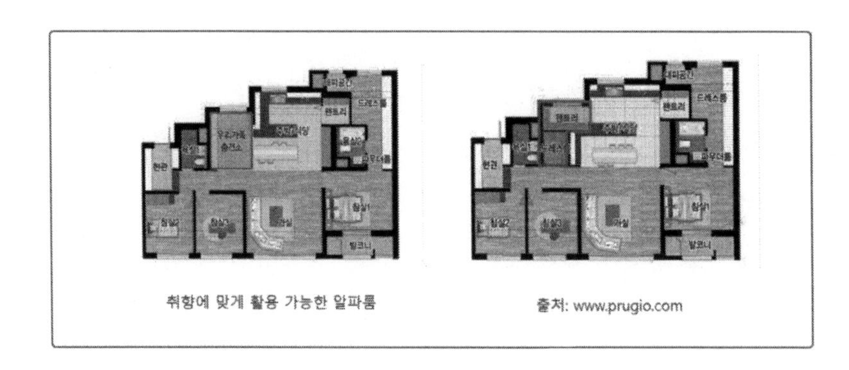

취향에 맞게 활용 가능한 알파룸 출처: www.prugio.com

주거 공간 내에 개인 침실 외 다른 공간이 부가적으로 제공된다면 그 공간을 무슨 용도로 사용하기를 원하는 지를 조사하였다. 가장 선호하는 용도는 옷방(140.8%)이었고, 2순위는 서재(87.9%)를 선호하였고, 다음으로 창고(54.1%)와 주부전용공간(53.4%)을 비슷하게 선호하는 것으로 나타났다. 그 외 헬스룸, 실내정원 및 텃밭, AV룸 순으로 선호하였다.

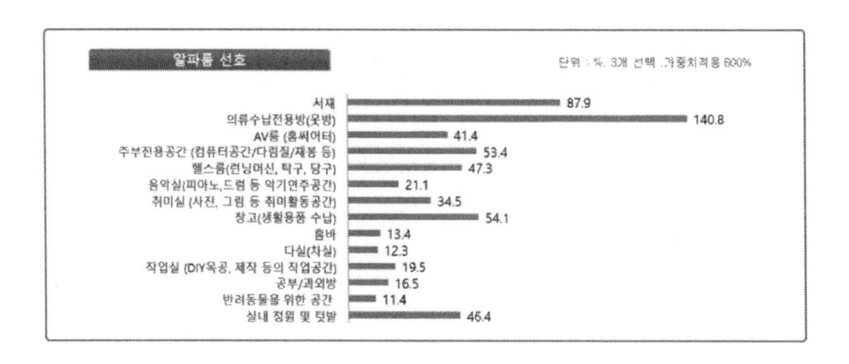

알파룸 선호는 성별로 차이가 있었는데, 남성은 서재, 옷방, AV룸 순으로 선호하였고, 여성은 옷방, 서재, 주부 전용 공간 순으로 선호하는 것으로 나타났다. 남성이 더 선호하는 알파룸은 서재, AV룸이었고, 여성은 옷방, 주부 전용 공간, 실내정원 및 텃밭을 더 선호하였다.

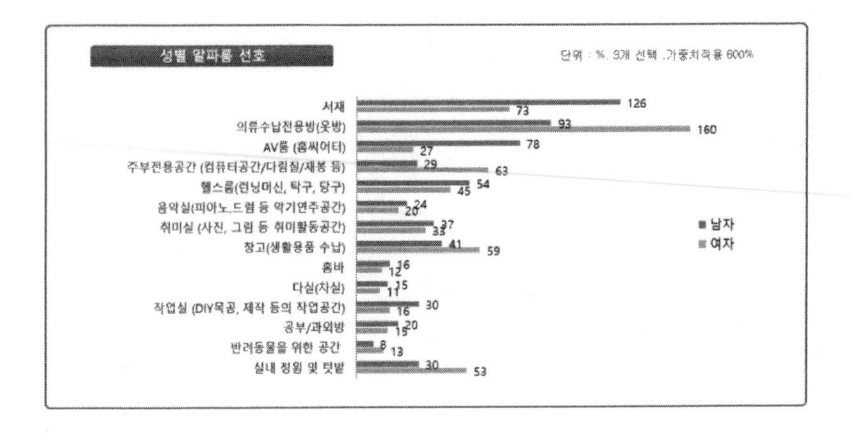

또한 주택 규모에 따라서도 차이가 있었는데, 창고는 20평 이하의 경우 가장 많이 선호하였고, 서재와 AV룸은 50평 이상에 거주하는 경우 가장 많이 선호하는 것으로 나타났다.

종합하면 부족한 의류 수납공간을 해결하기 위하여 알파룸으로 옷방을 기본적으로 많이 선호하였고, 다음으로 독서 및 학습공간으로 활용 가능한 서재를 선호하였다. 남성은 AV룸, 여성은 주부 전용 공간과 실내 정원 및 텃밭을 선호 하였고, 20평 이하 소형 아파트 거주자는 창고를 선호하는 것으로 나타났다.

가족이 함께 할 수 있는 공간

가족 중심, 자녀와의 정서적인 교류를 중요시하는 라이프 스타일이 중요하게 대두되면서 온 가족이 모여 담소를 나누고 화목을 도모할 수 있는 공간에 대한 요구가 증가하고 있다.

B 건설사는 경기도 평택시 비전동에 가족 공용 공간을 강화한 평면을 제공하였는데 거실과 침실 사이에 가변형 벽체를 적용하여 7.7미터에 달하는 광폭 거실을 제공하여 인기를 끌었다.[2] 이는 가족이 모여 함께 시간을 보내거나 명절에 친척들이 많이 모이는 날에 거실을 넓게 쓸 수 있는 평면에 대한 요구가 반영된 것으로 보인다.

평면 특화 요구에 대한 본 조사 결과 같은 면적이라면 가족 공간이 강화된 평면을 선택하겠다는 응답이 수납공간 강화형 평면 다음으로 많았다. 선호하는 평면 유형에 대한 응답을 보면 다른 공간의 면적을 줄이고 드레스룸 및 창고 면적을 확대한 수납공간 강화형(100.3%)과 침실 수나 면적을 줄이고 거실, 부엌, 식당의 면적을 확대한 가족공간 강화형(96.4%)을 가장 많이 선호하는 것으로 나타났다.

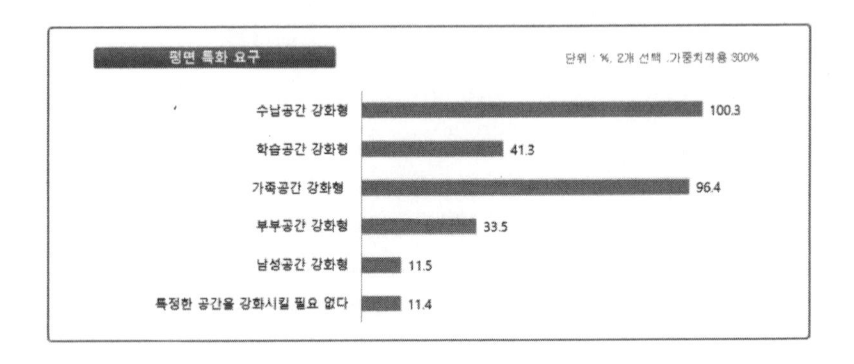

수납공간 강화형은 여성이 더욱 선호하였고 가족공간 강화형에 대한 선호는 성별 차이가 없었다. 안방, 드레스룸, 안방 욕실을 확대한 부부공간 강화형과 사랑방 개념을 도입한 남성공간 강화형은 남성이 더 선호하는 것으로 나타났다.

부엌 및 식사 공간의 평면에 대한 선호를 조사한 결과, 온 가족이 함께 요리하거나 주부가 가사일을 하면서도 가족대화 및 자녀 돌보기가 가능한 넓은 공간을 선호하는 응답자가 가장 많았다(47.1%), 다음으로 물쓰기, 야채 다듬기, 김치 담그기 등 활동 반경이 큰 작업도 편리한 부엌을 선호하였다(34.1%).

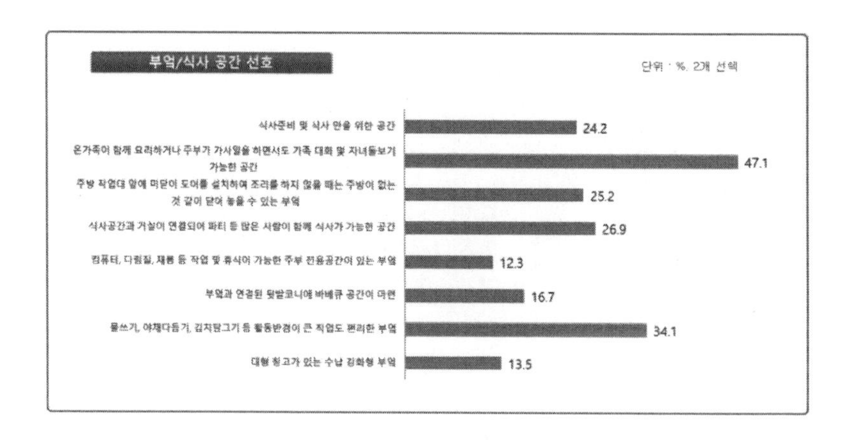

최근 분양하는 아파트는 이러한 요구를 반영하여 부엌 설계를 차별화하고 있다. H 건설사가 부산시 동래구 명륜동에 공급하는 아파트는 전용 84㎡에 ㄷ'자형 작업대와 광폭 입식형 보조주방을 따로 마련했으며, 대형 평형의 경우 거실 방향을 보며 요리를 할 수 있는 대면형 부엌 평면을 적용하였다.[3]

주부의 직업 유무에 따라 선호하는 부엌 및 식사 유형의 차이를 분석한 결과, 비맞벌이의 경우 맞벌이에 비하여 식사공간과 거실이 연결되어 파티 등 많은 사람이 함께 식사가 가능한 부엌과 물쓰기, 야채 다듬기, 김치 담그기 등 활동반경이 큰 작업도 편리한 부엌을 선호하는 것으로 나타났다.

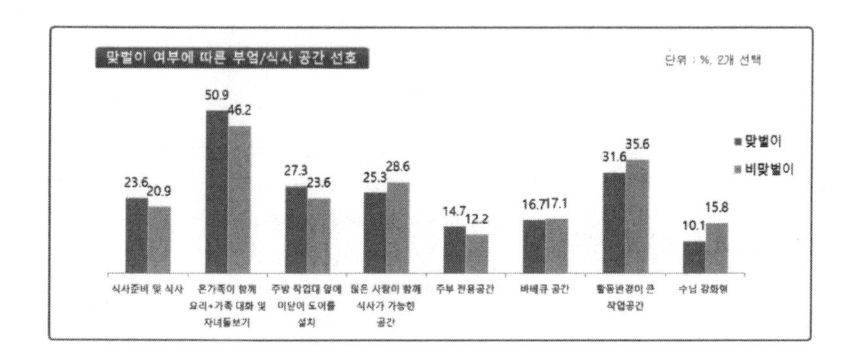

자급 자족 도시농부

안전한 먹을 거리에 대한 중요성이 커지면서 직접 농산물을 재배하여 소비하는 자급 자족 라이프를 추구하는 도심 거주자들이 늘고 있다. 서울시는 서울의 도시텃밭 면적이 2011년 29ha에서 2016년 143ha로 약 5배 증가하였다고 발표했다.[4] 주말 농장이나 자투리 텃밭을 이용하기 어려운 경우에도 베란다나 옥상에서 상자 또는 화분을 이용하여 직접 채소를 재배하는 시티 파머(City Farmer)가 증가하고 있다.

G 건설사가 평택 동삭 지구에 분양한 아파트는 입주민이 야영을 하거나 소풍을 즐길 수 있는 잔디밭 캠핑장과 채소를 기를 수 있는 공동텃밭을 갖추고 있다.[5]

아파트 1층 세대 특화 디자인에 대한 선호를 조사한 결과, 1층

전용 마당과 전용출입구를 계획하는 디자인을 가장 많이 선호하는 것으로 나타났는데(46.7%), 이는 최근 인기를 끌고 있는 테라스 하우스와 더불어 아파트에서도 텃밭 가꾸기, 정원 꾸미기, 가든파티 등 단독 주택의 마당 기능을 갖는 공간을 원하는 요구를 반영한 결과로 볼 수 있다.

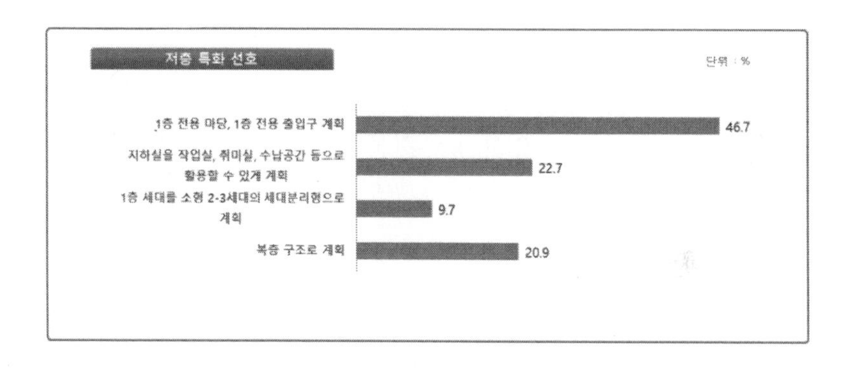

식사공간과 연결된 발코니 텃밭

타운하우스 앞 마당

S 건설사는 서울시 자곡동 입주 단지에 외부 텃밭인 가든팜과 LED 실내텃밭 상품을 최초 적용했다. 또한 파고라와 테이블을 설치하여 휴게 및 외부 식사도 가능하도록 설계했으며 입주 초기 가든팜 운영을 지원하기 위한 교육 프로그램도 운영하고 있다.[6] 텃밭을 중심으로 사람들이 모이게 해 텃밭 관리와 채소 재배에 좀더 적극적으로 나서도록 유도하는 곳도 있다.

G 건설사는 경기 김포시 장기동에 분양하는 아파트에 고령자와 어린이들이 함께할 수 있는 텃밭을 조성할 계획이다. 텃밭 주위에 수도꼭지를 설치하고 테이블과 의자도 가져다 놓아 채소를 딴 후 그 자리에서 씻어 함께 나눠 먹을 수 있도록 하여 가족과 이웃이 어우러지는 여가공간이자 아이들의 교육공간으로도 활용할 수 있도록 하였다.[7]

L 건설사는 상자 밑에 바퀴를 부착한 이동식 대형 상자 텃밭을 개발하여 제공하고 있다. 상자 텃밭은 허리를 구부리지 않고 채소를 가꿀 수 있고 재배하는 식물에 맞춰 흙의 종류를 달리 할 수 있어서 효율적이다.

마음을 살리는 공간-힐링 스페이스

건강과 휴식을 중요시하는 힐링족이 증가하면서 쌓인 피로와 스트레스를 집에서 치유하려는 요구가 높아지고 있다. 집에서 반신욕, 족욕 등을 즐기며 욕실에 머무는 시간이 길어지고 있는 추세를 반영하여, TV를 보거나 음악을 들으면서 휴식을 취할 수 있도록 디지털 TV와 블루투스 스피커를 갖추고 있는 욕실이 등장하고 있다.

D 건설사가 서울 서초구 반포동에 분양하는 아파트에는 입주민이 반신욕을 즐기면서 TV를 시청할 수 있도록 10인치 디지털 TV를 적용하고 있다. 또한 S 건설사가 서울 용산구 한강로2가에 분양한 아파트에는 욕실에 '블루투스 스피커폰'을 설치하여 개인 휴대폰이나 음원 기기를 연결해 스마트 기기에 저장돼 있는 음원을 직접 들을 수 있다.[8]

부띠끄 욕실(Boutique Bath)은 S 건설사가 서울 답십리동에 분양한 특화 욕실로 변기 앞 바닥을 세면대 바닥보다 높여 드라이존으로 꾸몄다. 따라서 슬리퍼를 신지 않고 변기를 바로 사용할 수 있으며 아이를 목욕시킨 뒤 건조 장소로 이용하기 편하다.[9]

선호하는 욕실 유형을 조사한 결과, 기본 생리 위생 행위만을 위한 욕실이 33%로 가장 많았는데, 기본 기능 외에 반신욕 및 음악감상 등 휴식기능을 포함하는 욕실을 선호하는 경우도 31.3%로 나타나 휴식을 위한 힐링 공간으로서의 욕실에 대한 요구가 높아지고 있음을 알 수 있다.

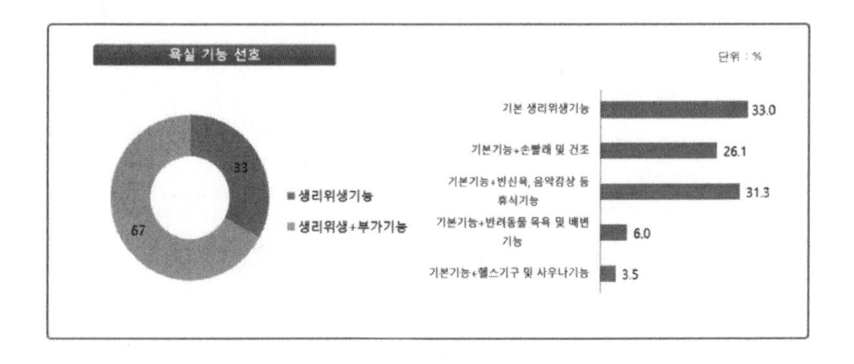

또한 최근 분양하는 아파트에 거주자가 원하는 대로 사용할 수 있게 제공하는 알파룸을 이용하여 자신만의 취미 공간을 만들려는 요구가 증가하고 있다. AV룸이나 홈시어터룸, 피아노룸, 요가룸 등으로 꾸며 가족 또는 혼자 만의 취미 생활을 할 수 있는 공간으로 활용하고자 하는 것이다. 이를 통해 스트레스를 해소하고 안정된 심신을 가꾸고자 하는 요구가 높아 지고 있다.

S 건설사가 서울 일원동에 분양한 아파트에는 1층을 특화 한 '아뜰리에 하우스'가 적용되어 있다. 기존 알파룸과 테라스, 복층형 설계의 장점을 모은 평면 설계로 층 분리를 통해 공간 활용도를 극대화한 것이 특징이다. 지하에 별도의 독립된 공간을 설치하여 녹음실, 스튜디오, 영화감상실 또는 DIY룸 등과 같이 다양한 취미공간으로 활용이 가능하다. 또한 지하 공간에도 별도의 주방과 욕실을 갖추고 있어 사실상 독립된 생활이 가능하다.[10]

융통성 있는 주거 공간

과거 단순히 먹고 잠자고 쉬고 생활하기 편리한 장소로서의 집이 아니라 가족이 함께 모여 소통하고 식물을 키우고 먹거리를 생산할 수 있고, 개인 휴식과 취미를 위한 공간으로서의 기능도 갖추어야 한다. 따라서 제한된 규모의 공간에 라이프스타일, 취미, 가족 수, 가족 형태, 연령이 다양한 거주자의 삶과 요구를 담아내기 위해서는 한정된 공간에 융통성을 부여하여 변화하는 주거 요구에 맞게 진화할 수 있는 공간 계획이 필요하다고 하겠다.

집필자: 박지민 | 박은선

5

살기 쉬운 집
재미있는 집

제5장 살기 쉬운 집, 재미있는 집

아파트 건설사들은 자사 아파트의 경쟁력을 강화하기 위해 무한경쟁 중이다. 경쟁력을 갖추기 위해 이제 독특하고 차별화된 아파트 평면 및 구조의 개발은 당연한 것이며, 나아가 입주 전후에 소비자를 위한 차별화된 서비스를 개발하여 제공함으로써 잠재적 소비자를 매료 시키려 애쓰고 있다.

예컨대, D건설사는 하자 신고에서 보수까지 간격을 최소화 하기 위해 간단한 보수가 가능한 다기능공을 자사의 아파트 현장에 상주 시키는가 하면,[1] L건설사는 입주한 기간에 따라 주방, 욕실 등에 대한 청소 서비스를 시행 하기도 한다.[2]

또한 H건설사는 권역별 AS센터 운영 및 단지별 맞춤 서비스와 세대 청소, 자전거 수리 등의 서비스를 제공한다.[3]

아파트 거주자의 입주 후 만족도를 높이기 위해 입주 후의 통상적인 하자보수 외에, 입주기간에 따른 살균 서비스, 유리창 닦기, 잔 고장 등을 수리하는 유지관리 서비스, 실내공기질의 측정 및 개선 프로그램 중 더욱 확대되기를 원하는 A/S가 무엇인가를 물었다. 가장 많은 응답자(33.7%)가 꼽은 서비스는, 잔 고장 수리 등의 유지관리 서비스 제공이었다.

도와줘요, 핸디맨!

대가족이 함께 사는 시대에는 집의 어딘가에 크고 작은 문제가 있을 때, 그것을 해결할 누군가가 집안에 있었다. 그러나 가구원수가 빠른 속도로 줄어들고 있고 그나마 모든 구성원이 눈코 뜰새 없이 바쁘고 피곤한 현대사회에서는 그러한 문제해결사가 딱히 존재하지 않는다.

유지관리 서비스에 대한 선호는 남성 응답자(41.4%)에게서 여성 응답자(30.5%)보다 월등히 크게 나타났으며, 남성은 전 연령대에 걸쳐 이 선호도가 일관되게 나타났다.

많은 가정에서 뭔가가 고장 나면 대개 집안의 남성이 수리할 것을 자연스레 기대하는 분위기 때문에 아마도 남성이 이러한 핸디맨 서비스를 여성보다 더 간절히 원하는 것으로 보인다.

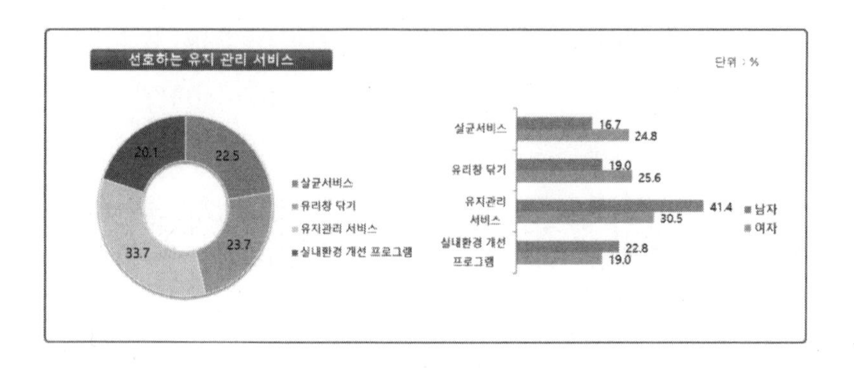

살균 혹은 반짝이는 유리창?

아파트 입주 기간에 따른 주방, 욕실, 침구 등의 살균 서비스는 젊은 연령층으로 갈수록 선호하는 반면, 유리창 닦기 서비스는 높은 연령층으로 갈수록 선호하는 것으로 나타났다.

즉, 젊은 연령층은 살균이나 실내 환경질 개선 등 위생에 관련된 서비스에 관심이 상대적으로 많은 것으로 나타났고, 40대 이후의 여성은 유리창 닦기 서비스를 가장 선호하는 것으로 나타났다. 남성은 모든 연령층에서 유지관리 서비스를 가장 선호하는 가운데, 두 번째로 선호하는 서비스로서 50대 이전의 남성들은 주로 살균이나 실내환경 개선 서비스를 선택하였지만, 60대 남성들은 유리창 닦기 서비스를 선택한 것으로 나타났다.

단위: %

구분	30대		40대		50대		60대	
	남	녀	남	녀	남	녀	남	녀
살균 서비스	19.4	28.4	23.8	26.7	14.7	21.7	10.0	19.3
유리창 닦기	19.4	15.5	12.7	28.8	13.2	30.4	30.0	31.3
유지관리 서비스	33.9	35.1	39.7	26.7	52.9	30.4	38.6	28.9
실내환경 개선	27.4	21.1	23.8	17.8	19.1	17.4	21.4	20.5

한편, 자가 응답자와 임차 응답자의 응답을 비교해 보면, 모두 유지관리 서비스를 가장 선호하는 가운데, 자가 응답자는 유리창 닦기 서비스를, 임차 응답자는 살균 서비스를 두 번째로 선호하는 것으로 나타났다.

또한 맞벌이 응답자와 비맞벌이 응답자의 응답을 비교해 본 결과, 맞벌이 응답자에게서는 살균 서비스, 비맞벌이 응답자에게서는 유리창 닦기 서비스에 대한 선호도가 상대적으로 높게 나타났다.

응답자의 거주 주택 규모별로 살펴본 결과는, 주택 규모가 증가함에 따라 유지관리 서비스에 대한 선호도가 높아졌으며, 20평 미만의 소규모 거주자들은 살균 서비스에 대한 선호가 가장 높게 나타났다.

이러한 응답결과들을 종합해보면, 대체적으로 유지관리 서비스에 대한 선호도가 가장 높은 가운데, 특히 남성이 이 서비스를 여성보다 더욱 원하는 것으로 나타났고, 젊은 연령층, 맞벌이, 임차 주택 거주자, 소규모 주택 거주자들은 살균 서비스에 대한 선호도가 상대적으로 높았다. 또한 여성, 고연령층, 비맞벌이, 자가 소유자들은 유리창 닦기 서비스에 대한 선호도가 상대적으로 높은 것으로 나타났다. 이러한 결과를 참고한다면, 특정 지역 아파트 미래 거주자 특성에 따른 요구를 보다 구체적으로 파악하여 차별화된 A/S의 제공이 가능할 것이다.

동네에서 놀기 - 커뮤니티 시설 및 프로그램

2016년 3월 16일 데일리 한국은 쓸쓸히 고독사한 노부부의 기사를 싣고 있다.[4]

강원도 속초의 한 오피스텔에서 우편함에 수북이 쌓인 고지서를 이상히 여긴 경찰관이 문을 따고 들어가 보니, 33㎡(10평) 남짓한 오피스텔 냉기 가득한 거실 바닥에는 70대 노부부가 숨져 있었다. 차갑게 식은 2구의 시신 주변에는 약이 든 병과 바짝 마른 종이 한 장이 놓여 있었다. "우리는 가족이 없다. 화장해서 바다에 뿌려 달라. 2015년 9월 6일" 종이에 적힌 내용이다. 경찰은 중풍 등으로 투병해 온 노부부가 6개월 전 음독 자살한 것으로 추정했다.

가족이나 이웃과 단절된 채 가난과 질병에 시달리는 노인이 늘면서 고독사는 한국사회의 일상이 됐다. 정부 통계를 보면 연고 없는 고독사만 한해 1,000명을 넘는다. 전체적으로 5분에 한 사람씩 아무도 모르게 숨진다는 통계도 있다. 가족 해체의 가속화로 현재 1인 가구는 523만명에 달한다. 이 중 혼자 사는 노인이 145만명, 1인 가구 빈곤율은 47.2%로 전체 가구 평균(13.7%)의 3.5배나 된다. 가난하게 혼자 살면 고독사의 위험이 높아질 수밖에 없다. 고독사는 노인만의 문제가 아니다. 40대, 50대가 고독사의 절반을 점한다.

취업난으로 생활고에 시달리는 20대, 30대 젊은층의 고독사도 늘고 있다. 경제적으로 불안정한 비정규직에 종사하면서 연애나 결혼을 포기한 채 사회적으로 고립된 '나홀로족'이 급증한 탓이다. 비단 고령자뿐만 아니라 젊은 사람들도 실업자가 되거나 병에 걸리면 사회적으로 고립돼 고독사와 맞닥뜨릴 위험이 크다.

연령을 불문하고 늘어나는 1인 가구가 함께 어울릴 수 있는 이웃 공동체가 있다면 이런 비극을 다소라도 방지할 수 있고, 보다 건강하고 활기찬 생활을 영위할 수 있지 않을까.

우리나라의 1인 가구는 계속 급증하는 추세를 보여 4가구 중 1가구꼴이며, 이런 증가추세는 앞으로도 지속될 것으로 전망된다. 이렇게 홀로 지내는 사람이 많아질수록 이웃 공동체의 필요성은 더욱 절실하다 할 것이다.

비단 1인 가구가 아니더라도 이런저런 이유로 사람들은 다시 이웃 공동체 형성을 갈망하기 시작했으며, 실제로 그러한 움직임이 여기저기서 나타나고 있다.

2013년 오마이뉴스 특별취재팀이 발간한 '마을의 귀환'은 우리가 막연히 이제는 시골에나 있을 것이라고 생각하는 '마을'이 다양한 형태로 서울에도 존재하고 있음을 여러 가지 흥미로운 예를 통해 소개하고 있다.[5]

이 '마을', 즉 커뮤니티는 주거 중심의 종합 공동체로서, 상업이나 협동조합 공동체로서, 또는 문화 예술 공동체로서 곳곳에서 지속적으로 자라나고 또 진화하고 있다. 이러한 마을은 아파트 단지에서도 생겨나고 있다.

서울 지하철 2호선 잠실나루역 부근의 대단위 아파트 단지인 '파크리오'에서는 30-40대 엄마들의 모임인 '파크리오맘'이 온·오프라인으로 다양한 활동을 통해 성공적인 아파트 공동체를 형성하고 있다. 이들은 인터넷 카페를 통해 유용한 정보를 공유할 뿐만 아니라 취미 활동 모임이나 동호회 모임, 기부활동 등을 통해 공동체를 이어가며 놀이터를 매개로 세대 간 교감도 활발히 하고 있다.[6] 이러한 예는 이제 심심치 않게 찾아볼 수 있다. 사람들은 함께 놀기 위해, 함께 먹기 위해, 아이들을 함께 키우고 교육하기 위해, 함께 일하기 위해… 그밖의 여러가지 이유로 모이고 어울리기 시작했다.

2016년 3월 23일 통계청이 발표한 '2015년 한국의 사회지표'

에 따르면 2014년 기준 10세 이상 국민이 하루 여가활동으로 쓰는 시간은 평균 4시간28분으로 조사 됐다.[7] 우리나라 국민이 여가시간에 가장 많이 한 것은 지난해 기준으로 TV 시청(69.9%)이었다. 여가 활용에 만족한다는 국민은 작년 기준으로 26.0%에 불과했는데, 불만족하다고 답한 응답자 가운데 절반이 넘는 사람들이(58.2%) '경제적 이유'를 주된 원인으로 꼽았다.

하루 4시간이 넘는 여가시간의 대부분을 TV 시청으로 보내기보다는 좀더 건강하고 즐거운 여가 활동으로 보내고 싶은 마음은 있으나 경제적 부담이 발목을 잡는 것이다. 집 가까이 쉽고 저렴하게 이용할 수 있는 커뮤니티 시설과 프로그램이 있다면, 한국인의 여가활용에 대한 만족도는 한층 높아지지 않을까?

본 조사에서 나타난 바에 의하면, 응답자들이 가장 필요하다고 공감하는 커뮤니티 시설은 실버 세대를 위한 전용 스포츠 공간과 청소년 전용 스포츠 시설이었다. 이는 응답자의 여러 가지 특성에 따라 나누어 살펴봐도 큰 차이가 없이 엇비슷하였다.

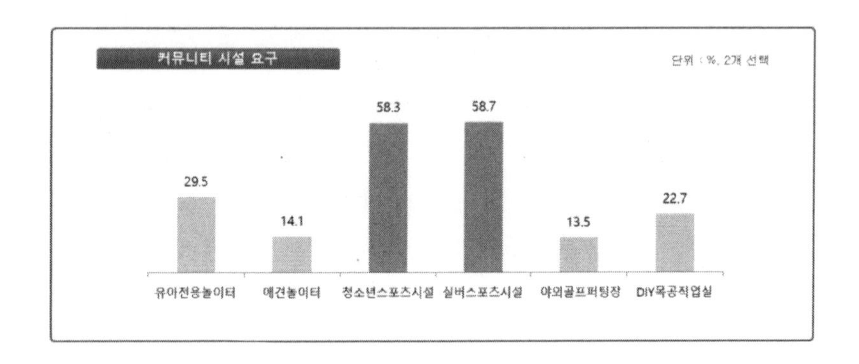

사회의 고령화 현상에 따라 실버 세대의 비율은 계속적으로 증가추세를 나타내지만, 이들의 건강이나 여가활동을 위한 전용 스포츠 시설은 아직까지 크게 미흡한 실정이다.

또한 오로지 학업만을 강요 받는 청소년세대에게 접근성이 쉬운 인근 스포츠 시설은 건강을 향상시키고 건전한 취미활동을 위해 반드시 필요한 시설이다.

응답자들이 세번째로 많이 선택한 '유아전용 놀이터'는 만 3세 이하 유아가 안심하고 놀 수 있게 해줌으로써 부모나 조부모 혹은 그 밖의 돌보는 사람에게도 큰 도움을 줄 수 있는 시설이 될 것이다. 조사에서 나타난 바에 의하면 유아 연령의 자녀를 가진 젊은 부모들뿐만 아니라 60대 이상 연령층에서도 유아전용 놀이터가 필요하다고 응답하였다. 이는 손자녀를 보다 안전하게 돌보고 싶은 조부모의 요구가 반영된 것으로 추측된다.

한편, 젊은 계층이 보다 많은 관심을 가질 것으로 예상했던

DIY 목공 작업실은 의외로 5-60대에서 더 많은 관심을 나타내었다. 이는 실버세대를 위한 시설에 대한 요구가 높은 것과 일맥상통하는 것으로, 일과 육아로 바빠 여유를 갖지 못하는 젊은 세대보다는, 시간여유가 많은 고령층의 취미활동으로 DIY 목공이 관심을 받는 것으로 생각된다.

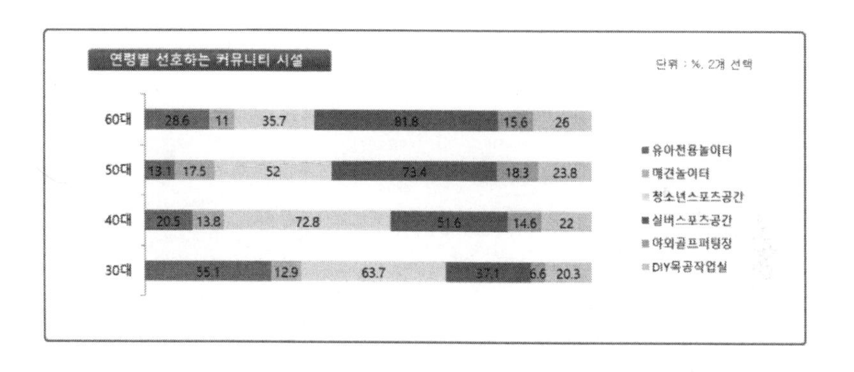

이와 같은 사항들을 고려할 때, 실버 세대를 위한 건강 시설과 취미, 여가활동 시설은 보다 다양하게 마련될 필요가 있다.

야외 골프 퍼팅장에 대한 요구는 응답자의 소득수준이 높아질수록, 또한 거주 주택규모가 커질수록 급격히 높아지는 것으로 나타났다. 따라서 높은 구매력을 가진 소비자를 타깃으로 하는 주택이라면, 야외 골프 퍼팅장이 하나의 매력 요인으로 작용할 수 있을 것이다.

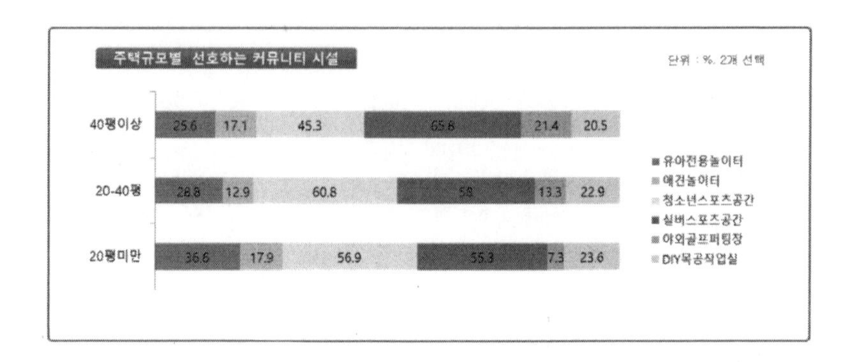

출처: www. xi-ex.co.kr

한편, 응답자들이 근린지역이나 아파트 단지 내에서 필요하다고 생각하는 프로그램은 주로 여성을 위한 프로그램과 시니어 프로그램, 청소년 프로그램이었다.

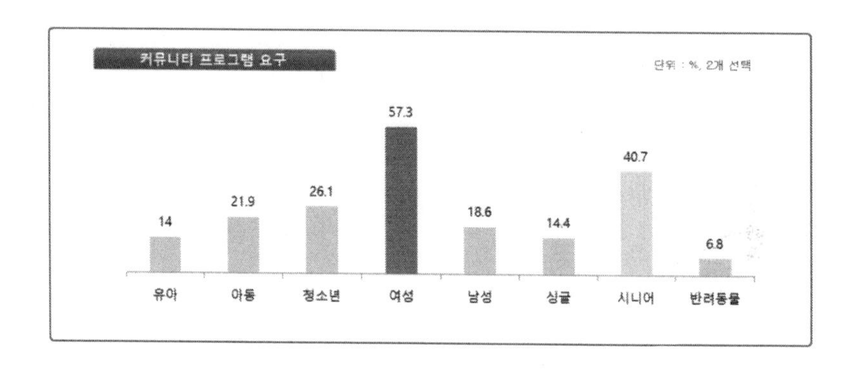

여성은 모든 연령층에서 여성 프로그램을 가장 원하는 것으로 나타난 반면, 남성은 30-40대에는 자녀나 배우자를 위한 프로그램이 더 필요하다고 생각하다가 50대 이후에는 자신을 위한 시니어 프로그램과 남성 프로그램을 필요로 하는 것으로 나타났다.

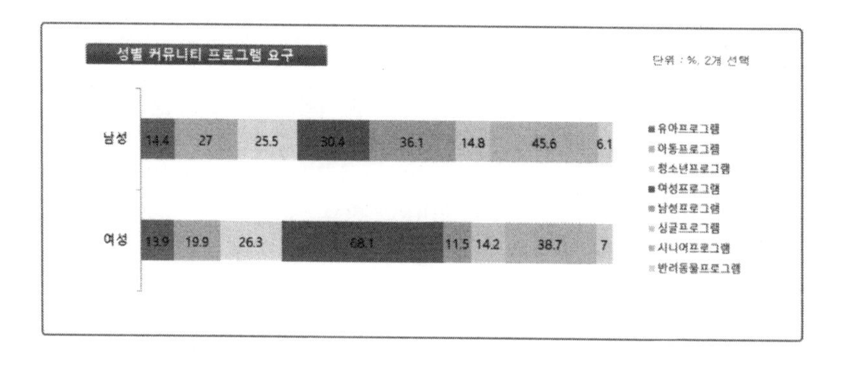

소득수준이 높아지고 주택규모가 커질수록 남성을 위한 프로그램이 필요하다는 응답이 증가한 반면, 싱글을 위한 프로그램이 필요하다는 응답은 소득수준 및 주택규모에 반비례하여 증가하는 양상을 나타내었다.

또한, 유아, 아동, 청소년, 싱글 프로그램에 대한 선호는 주택규모가 작아질수록 증가하였고. 여성, 남성, 시니어 프로그램에 대한 선호는 주택규모가 커질수록 증가하는 것으로 나타났다.

따라서, 어느 곳에서나 주민들은 전반적으로 여성, 시니어, 청소년을 위한 프로그램을 가장 필요로 하는 가운데, 주택규모가 작고 거주자의 연령이 젊으며 소득수준이 중간 이하의 거주자가 많은 곳에서는 유아나 아동, 그리고 싱글들을 위한 프로그램이 좀더 적극적으로 개발되어야 할 것이다.

반면 주택규모가 크고 거주자의 연령층과 소득수준이 높은 지역이라면 남성을 위한 다양한 프로그램의 적극적인 개발이 필요하다. 이는 커뮤니티 시설에 대한 요구 조사와도 일맥상통하는 것으로, 지금까지 상대적으로 등한시되어온 남성을 위한 시설 및 프로그램에 대한 잠재적 수요계층을 알려주는 하나의 지표가 될 것이다.

집은 사람이다

2016년 한 케이블 TV에서 방영되었던 드라마"응답하라 1988"은 시청자들에게 뜨거운 공감을 불러일으켰다. 88올림픽이 서울에서 개최되었던 그 해, 쌍문동의 한 골목에 사는 사람들의 애환을 그린 이 드라마를 보며 시청자들이 가장 열광했던 것은 이제 현실에서 누리기 어려운 끈끈한 이웃관계였다. 소주 한 잔을 기울이며 사회생활의 고단함과 가장 노릇의 무거움을 서로 위로하는 아빠들, 평상에 앉아 고구마를 함께 먹으며 남편과 자녀의 이야기로 웃음꽃을 피우는 엄마들, 어린 시절부터 형제처럼 함께 자라온 아이들 … 이들은 누군가 아프면 모두 다 달려가 걱정하며 보살피고, 누군가에게 좋은 일이 생기면 내 일처럼 기뻐한다.

한 때 우리의 모습이었으나 이제 찾아보기 힘든 이러한 광경은 시청자들에게 큰 반향을 불러일으켰다.

7년째 시민들을 대상으로 글쓰기 프로그램을 진행하고 있는 이문재 시인은 "살고 싶은 집, 살고 싶은 마을"을 주제로 작성하게 한 글에서 공통으로 발견되는 로망이 있다고 한다.[8] 99퍼센트가 도시를 거부한다. 99퍼센트의 글에 '하늘이 보이는 넓은 유리창'이 나온다. 같은 비율로 텃밭 가꾸기가 등장하고 또 같은 비율로 이웃과 함께하는 공동체를 꿈꾼다. 아파트에 살겠다는 글은 1퍼센트도 안 된다. 30퍼센트 정도가 한옥에 살고 싶어 한다. 나머지는 지하실이 있는 2층 양옥을 선호한다. 집에는 혼자 쓸 수 있는 방이 반드시 있어야 하고 친척이나 이웃, 손님과 함께하는 거실 또한 필수다. 나무를 심은 마당에는 닭이나 강아지가 돌아다닌다.

그러나 현실에서 우리가 사는 집의 모습은 이러한 로망과 사뭇 차이가 크다. 우리사회에서 가장 보편화된 주거형태인 아파트는 아이러니하게도 "공동주택"이라는 말이 무색하게 개인주의적 라이프 스타일을 적극 뒷받침해왔다. 수십, 수백 가구가 함께 모여 산다 해도 정작 아래 윗집에 누가 사는지조차 잘 모르는 경우가 대부분이다. 하지만 본성이 사회적 동물인 우리들은 이제 다시 아파트 생활에서 충족 되지 못하는 "타인과의 교류"를 갈망한다.

이러한 갈망은 비단 우리나라뿐만이 아니라 우리보다 훨씬 일찍부터 개인주의적 생활양식을 구가해 온 서구사회에서도 나타난다.

영국과 미국에서는 개인공간 면적을 최소화하고 대규모의 공용공간에 다양한 서비스를 공유하는 공유주거가 생겨나고 있다. 우리나라의 경우 주로 5-6가구 정도가 모여 공유주거를 이루는 반면, 영미의 공유주거는 '규모의 경제'를 노린다.[9]

세계최대의 공유주택인 영국 런던의 '올드 오크'는 무려 546개의 방이 있다. 구성단계에서부터 같은 관심사를 가진 사람들을 모으지 않으면 공유주택에 살기란 불가능한 한국의 사례와 달리, 올드 오크는 큰 규모 덕에 입주 즉시, 나와 비슷한 관심사를 가진 사람을 찾을 수 있다. 커뮤니티 매니저 3명은 입주자들을 서로 소개해 주고 모임을 만들어 주거나 운영에 도움을 준다. 올드 오크는 입주자들에게 10m²(3평) 크기의 아주 작은 방을 사적 공간으로 제공하는 한편, 나머지는 모두 공유공간으로 사용한다. 공유공간은 도서관, 식당, 극장, 게임방, 체육관, 커뮤니티 라운지, 루프톱 정원과 같은 아웃도어 공간 등 다양한 시설을 갖추고 있으며 청소나 침대보의 세탁 및 교체와 같은 호텔과 같은 서비스가 제공된다. 철저히 개인 생활을 중시할 것으로 생각되는 영국인들이 개인공간은 최소화, 공유공간은 극대화한 집에 기꺼이 입주하기를 희망하는 것이다.

이러한 영국식 공유주택이 우리나라의 상황에도 잘 적용될 수 있을지는 알 수 없다. 그러나 1인 가구의 급증과 가족 구성원수의 감소, 빠르게 진행되는 사회 고령화에 따른 노인인구 증가 등의 현상으로 이웃과의 활발한 어울림에 대한 갈망은 우리나라에서도 점점 더 커질 것이 분명해 보인다.

여러 사람이 공동공간을 공유하는 '쉐어하우스'에 대한 본 조사(9장)에서도 쉐어하우스에 거주할 의향이 있다는 응답자 중 가장 많은 39%가 '사회적 교류'를 거주 희망 이유로 꼽은 것도 공동체 형성에 대한 바람을 잘 보여준다.

'집'은 물리적 구조체만을 의미하는 것이 아니다. '집'의 의미는 그 안에 사는 사람, 그리고 그 주변에 사는 사람 그리고 그들과의 관계를 내포하는 것이다.

집은 사람이다.

집필자: 노현선

6

1인 가구를 위한 집

제6장 1인 가구를 위한 집

1인 가구란 1인이 독립적으로 취사, 취침 등 생계를 유지하고 있는 가구를 말한다. 1인 가구의 비중은 2010년 기준 23.9%에서 2035년 763만 가구에 이르러 전체 가구의 34.3%로 증가할 것으로 전망되고 있다.[1]

고령화로 인한 독거노인의 증가와 결혼을 하지 않고 부모세대와 떨어져 독립적으로 생활하는 젊은층의 증가로 1인 가구는 계속해서 늘고 있다. 청년층은 '비혼자의 증가(30.1%)', '고용불안, 경제여건 악화(26.5%)' 등 현실적인 문제로 중·고령층은 '가족가치 약화(31.4%)', '개인주의 심화(26.7%)' 등 가치관의 변화 때문인 것으로 분석되었다.[2]

1인 가구의 증가는 소비 성향이나 패턴 등 소비트렌드의 변화를 가져온다. 1인 가구의 소비성향은 80.5%로 전체 가구(73.6%)보다 6.9%포인트 높았다. 특히 젊은층 1인 가구의 개인별 소비 성향은 다인 가구보다 높은데,[3] 가족 부양 의무가 적기 때문에 '나'를 위한 소비에 상대적으로 더 많은 비용을 소비하는 것으로 나타났다. 이를 반영하듯 1인 가구를 겨냥한 주택, 가전, 가구, 생활용품 시장에 소형, 효율성을 강조한 제품의 소비는 꾸준히 늘고 있다.

1인 가구의 증가와 더불어 문제점도 지적되고 있다. 혼자 살 경우 걱정되는 점은 '심리적 불안감이나 외로움(36%)', '아플 때 간호해 줄 사람이 없음(21.8%)', '경제적 불안정(16.4%)' 등으로 조사되었다.[4]

<연령에 따른 1인 가구 생활 특성>

청년기

20-30대의 1인 가구는 대체적으로 학업 및 취업 등으로 결혼을 하기 전에 원가족으로부터 독립하면서 생성되는 경향이 있다. 대도시 중심으로 취업기회가 제공되고 결혼연령이 높아지면서 청년기 1인 거구가 증가하고 있다. 교육수준이 높고 자가 비중이 높으며 비교적 풍요로운 생활을 영위하는 층과 불안정한 노동시장 지위로 인해 사회적 떠돌이 층으로 생활할 가능성이 높은 층으로 양극화 양상을 보인다.

중년기

직장 등의 이유, 이혼 등으로 가족과 떨어져 생활하는 경우가 대부분이며. 다른 연령대 1인가구에 비해 다양성이 크다. 상대적으로 여성은 자가 비율이, 남성은 월세 비율이 높으며, 노동 시장에서의 위상이나 결혼상태 등에 따라 생활의 차이가 있다. 청년층 1인 가구에 비해 독거생활이 고착화 될 가능성이 높다.

노년기

급격한 고령화와 남녀의 평균수명 차이, 부모부양에 대한 가치관 변화, 도시화 등으로 노년기 1인 가구 증가하고 있다.

농어촌 지역, 여성, 70대 후반에서 독거비율 높으며, 현재까지는 비 1인 가구 노인에 비해 교육수준 낮고 건강상태와 경제상태 낮은 편이다. 청장년 1인 가구에 비해 교육수준은 낮으나 자가비율이 높고 경제활동률은 매우 낮게 나타난다.

출처: 여의도 연구원(2015. 4.1). 1인 가구 급증, 국민 25%!-정책지형을 바꿔야 한다

1인 가구는 주거소유의식이 더 낮을까?

국토부에서 실시한 2014년 주거실태조사[5]에 의하면 '내 집을 꼭 마련하겠다'고 응답한 사람은 전체 조사대상의 79.1%로 나타났다. 이는 2010년 83.7%에서 4.6%나 감소한 수치이다. 이처럼 주거 소유 의식이 약화되고 있는데는 여러 요인이 작용하겠으나 그 중 하나는 가족구조의 변화와 1인 가구의 증가라 할 수 있다. 1인 가구는 다인 가구에 비해 자가 거주 비율이 낮으며 주거 소유 의식도 낮아서, 자가 보유를 촉진하기 위해서는 소형의 저렴한 주택 공급과 자가의 주거비 부담 완화를 위한 지원이 필요하다고 보고 있다.[6]

미래공간문화연구소 조사(2014. 11)에서도 1인 가구의 주거 소유의식은 다인 가구에 비해 낮게 나타났다. 1인가구 37명(전체 조사대상자 916명) 중 21명(56.8%)이 '내 집이 있어야 한다'고 응답하였고, 그렇지 않다고 한 응답자는 16명(43.2%)였다. 이는'내 집이 있어야 한다'라는 응답이 73.3%인 전체응답자 916명의 결과와 비교해 볼 때 주거소유의식에서 큰 차이를 보여주는 결과이다.

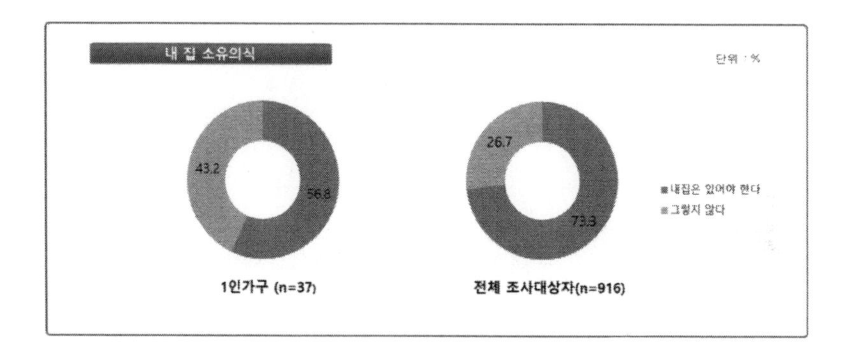

1인 가구는 계속 증가하고 있는 추세이고 이는 결국 주택소유의식을 약화시키는 요인으로 작용할 것이다.

소형아파트와 원룸형 주거 선호

1인 가구의 주택수요는 연령, 소득수준, 거주상태, 입지여건 등에 따라 뚜렷하게 세분화될 것으로 예상된다. 1인 가구의 증가와 경기침체로 인해 소형아파트와 원룸형(오피스텔 등) 주거에 대한 수요가 늘어날 것으로 예측되는 가운데 수요에 맞는 주거 계획을 위해서는 선호 주택유형을 파악할 필요가 있다.

본 조사 결과, 1인 가구로 살 경우 가장 선호하는 주거형태는 소형아파트(39.2%)와 원룸형(오피스텔 등)의 주거(38.4%)인 것으로 나타났다. 즉 소형아파트와 원룸형을 희망하는 경우를 합하면

77.6%인 것을 볼 때 1인 가구로 살 경우 독립 가구형태의 비교적 적은 면적의 주거에 살기를 원하는 것을 알 수 있다.

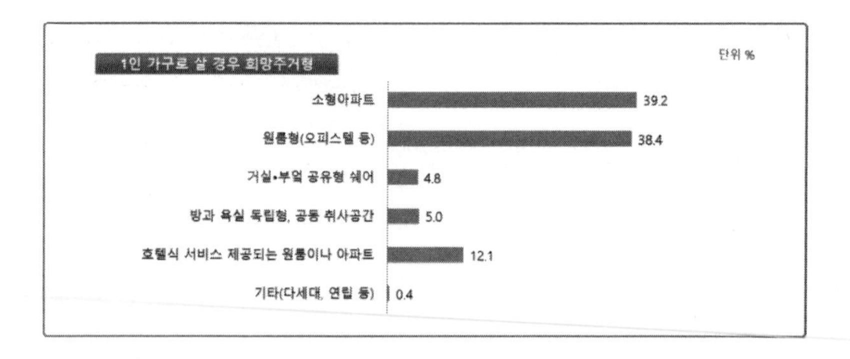

소형 아파트는 오피스텔 보다 전용률이 20% 정도 높고 커뮤니티시설과 주차장 등 아파트 단지의 편의성과 쾌적성 등의 장점이 있다. 그럼에도 소형아파트와 원룸형 오피스텔의 선호 비율이 비슷한 결과를 보인 것은 원룸형 오피스텔이 임대로 살기에 더 저렴하고 계약기간이 더 자유롭다는 점 때문일 것이다.

소형 아파트나 원룸형 외에 1인 가구끼리 공간을 공유해 사용하는 거실 부엌 공유형(4.8%)이나 공동취사공간 쉐어형(5.0%) 등 생활공간 공유형 주거를 선호하는 응답은 적었으며, 호텔식 서비스를 제공하는 주거를 선호한 경우는 12.1%로 나타나 생활공간 공유형보다 서비스 제공 주거에 대한 선호가 큼을 알 수 있다.

1인 가구는 대학생, 사회초년생, 골드싱글, 국내외 기러기가족, 노인 독거세대 등으로 세분화되기 때문에 양적으로 증가하는 수요에 더하여 각각의 수요층의 요구에 대응하는 전략에 따라 맞춤형 주거공간을 제공한다는 원칙에 따라야 한다[7]는 주장이 설득력 있게 받아들여지고 있다. 따라서 가장 선호도가 높은 아파트나 오피스텔 등의 원룸형 외에도 공간 공유형이나 서비스 제공 주거 등 세분화된 수요층의 주거요구를 충족시켜줄 주거 형태 개발이 이루어져야 한다.

남성은 소형아파트보다는 원룸형 주거

1인 가구로 살 경우 남성은 아파트보다 원룸형 주거를 더 선호하는 것으로 나타났다. 이에 비해 여성은 아파트를 선호하였다. 연령별로는 연령이 낮을수록 원룸형태를 원하였고 아파트는 30대보다는 40대 이상이 더 선호하였다. 호텔식 서비스 제공 아파트에 대해서는 50대 이상이 더 희망하는 것으로 나타났다.

가장 선호하는 1인 가구용 주거를 성별과 연령에 따라 살펴보면, 남성은 모든 연령대에서 원룸형을 더 선호하였고 특히 30대-50대 남성의 경우 응답자의 50% 이상이 1인 가구용 주거로 원룸을 선호한다고 응답하였다. 반면 소형 아파트를 선택한 경우는 이보다 훨씬 적은 22.1~32.9%에 그쳤다.

이는 40대 이상 여성의 응답과 비교할 때 큰 차이를 보이는 결과이다. 30대를 제외한 40대 이상 여성은 소형 이파트를 가장 선호(46.1~49.4%)하였고 다음으로 원룸형(24.1~33.0%)을 선호하였다.

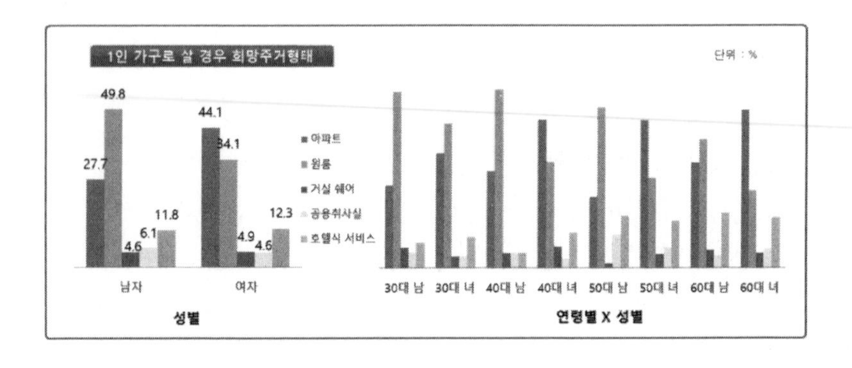

1인 가구용 주거로서 아파트와 원룸을 연령과 성별로 비교한 내용을 표에서 보면 남성의 전 연령대와 30대 여성은 원룸형을 40대 이상의 여성은 아파트를 가장 선호하는 것을 볼 수 있다. 이처럼 특히 남성응답자와 30대 여성이 1인 가구용 주거로 원룸을 더 선호한 것은 주거비용을 줄이기 위해 고려한 결과로 보인다. 또한 남성의 경우 집에 머무르는 시간이나 주거생활의 범위와 활동 영역이 여성에 비해 제한적이므로 비용대비

사용가치를 고려할 때 원룸을 선택했다고 볼 수 있다.

단위 : %

성별	연령별	1순위	2순위
남성	30대	원룸(54.8)	아파트(25.8)
	40대	원룸(55.6)	아파트(30.2)
	50대	원룸(50.0)	아파트(22.1)
	60대	원룸(40.0)	아파트(32.9)
여성	30대	원룸(45.1)	아파트(35.8)
	40대	아파트(46.1)	원룸(33.0)
	50대	아파트(46.2)	원룸(28.0)
	60대	아파트(49.4)	원룸(24.1)

이 같은 선호주거형태의 남녀간 연령간 차이는 호텔식 서비스 주거에서도 나타난다. 50대 이상의 연령대는 30, 40대에 비해 호텔식 서비스 주거 선호도가 높게 나타나고 있으며 40대 이하에서는 여성이 남성보다 서비스 주거에 대한 요구가 더 높게 나타나고 있음을 볼 수 있다.

1인 가구와 호텔식 서비스 주거

최근 주거서비스를 제공하는 호텔식 서비스 주거의 공급이 늘고 있다. '서울숲 트리마제'의 호텔식 서비스의 경우는 생활의 편리함을 위해 3종류의 서비스를 제공한다. 입주자의 입맛과 건강에 맞춘 조식서비스 및 식음서비스의 제공, 발렛파킹이나 게스트 하우스 예약 등 생활에 필요한 다양한 업무를 대행하는 컨시어지 서비스, 청소나 세탁 등 생활패턴에 맞춘 생활서비스를 제공한다.[8] 이들 서비스의 제공은 출장이나 업무 등으로 바쁜 가구의 주거 생활에 도움이 되므로 1인 가구를 위한 주거형으로 더욱 적합화되고 확대될 것이다.

본 조사의 결과 1인 가구용 주거로 아파트와 원룸형 주거선호가 77.6%를 차지했으나 12.1%는 호텔식 서비스 주거를 선호했다는 것은 시사점이 크다고 하겠다. 특히 50대와 60대 남성(16.2%와 17.1%), 그리고 50대와 60대 여성(14.8%와 15.7%)의 서비스 주거에 대한 요구는 더 높게 나타나고 있다. 비교적 높은 연령대의 선호도가 더 높았다는 점에 주목할 만하며 고령 1인 가구가 계속적으로 늘어날 것으로 전망되는 시점에서 생활서비스 제공 주거형태에 대한 요구는 더 높아질 것으로 예상된다.

1인 가구의 생활공간 공유

1인 가구를 위한 공유주택이 늘고 있다. 주거비는 낮추면서 거실과 부엌, 화장실 등을 공유하여 공간의 효율성을 높이는 쉐어하우스 등의 공유주택이 증가하고 있는 것이다. 개인 공간은 줄어들지만 공간의 공동 사용을 통해 주거비용을 줄이고 이웃과 교류할 수 있다는 점에서 긍정적으로 받아 들여지고 있다.

1인 가구 주택유형 선호 조사결과 아직 공유주택에 대한 선호도는 높지 않았다. 1인 가구로 살 경우 성별이나 연령에 관계없이 독립적 생활이 가능한 아파트나 원룸을 더 선호하였다. 다만 30, 40대 남성들은 생활공유주택유형(거실/부엌 공유형, 취사실 공유형)을 호텔식 서비스 주거보다 더 선호한 결과는 주의 깊게 볼 부분이다.

단위 : %

성별	연령별	독립생활 주택유형 (원룸, 아파트)	공동생활 주택유형 (거실/부엌 공유형, 취사실 공유형)	서비스형 주택유형 (호텔식 서비스)
남성	30대	80.6	11.3	8.1
	40대	85.8	9.6	4.8
	50대	72.1	11.8	16.2
	60대	72.9	10.0	17.1
여성	30대	80.9	7	9.8
	40대	79.1	9.9	11.0
	50대	74.2.	11.0	14.8
	60대	73.5	10.8	15.7

가장 중요한 지역조건은 생활편의 시설

1인 가구로 살 경우 가장 중요하게 생각하는 지역조건은 생활편의시설, 공원·녹지 등 친환경, 교통이 편리한 역세권, 범죄로부터 안전한 곳 순으로 나타났다. 1인 가구로 생활하기 위해서는 기본적인 생활을 지원해줄 수 있는 편리한 환경에 대한 요구가 크다는 것을 알 수 있으며 건강을 유지하기 위한 친환경 요소도 중요하게 생각하는 것으로 나타났다.

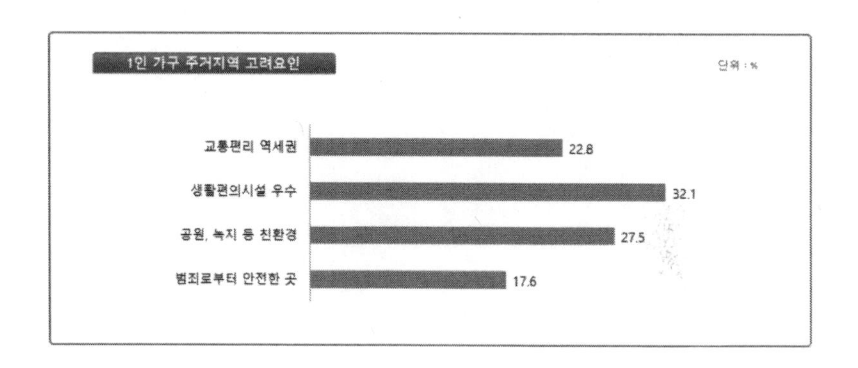

주거지역 고려 요인은 성별과 연령에 따라 다르게 나타났다. 남성은 공원, 녹지, 등산로 등의 주변에 위치한 건강한 생활을 할 수 있는 곳을 가장 선호했고 편의시설, 교통여건 등을 그 다음으로 꼽았으나 범죄로부터의 안전에 대해서는 덜 고려하였다.

여성의 경우는 편리한 생활을 할 수 있는 환경을 가장 우선시하나 범죄로부터의 안전이 중요하게 고려되는 것으로 나타났다.

연령대별로 보면 30대, 40대는 생활편의시설이 가장 중요한 조건으로 여겼지만, 50대와 60대는 주변건강환경을 가장 중요하게 생각했으며 특히 60대는 공원, 녹지, 등산로 등의 주변에 위치한 건강한 생활을 할 수 있는 곳을 48.7%가 선택하였다. 교통이 편리한 역세권에 대해서는 30대, 40대가 더 중요하게 생각하였으며 연령이 높아질수록 주거지 선택에 범죄안전을 덜 고려하는 것으로 나타났다.

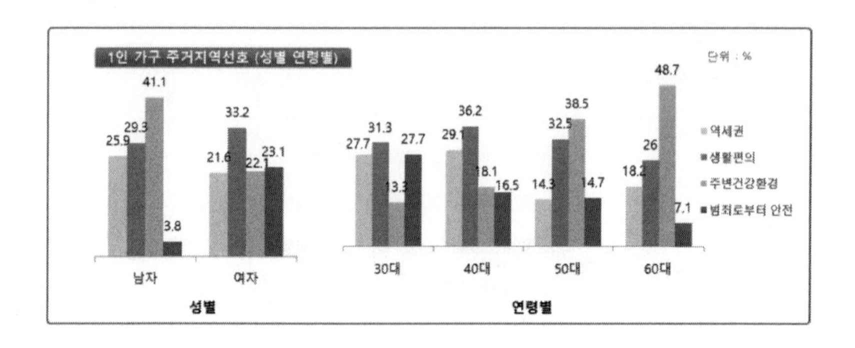

30대 여성에게는 안전한 지역조건 중요

1인 가구로 살 경우 고려하는 주거지역 조건에 대해 연령별·성별에 따라 큰 차이가 나타났다.

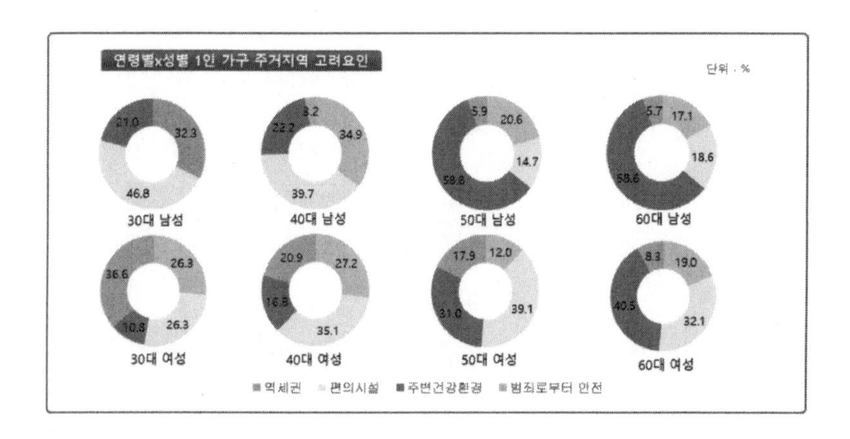

30대 여성은 범죄로부터의 예방을 위해 안전한 지역을 가장 우선순위에 두었고(36.6%), 30, 40대 남성은 주변의 생활 편의 시설을 가장 중요한 요소로 생각했으며 50대와 60대 이상의 남성의 50% 이상은 공원, 녹지, 등산로 등이 주변에 위치한 건강한 생활을 할 수 있는 환경을 가장 선호하였다. 또한 50대와 60대 이상의 여성은 주변의 생활편의시설과 건강한 생활을 할 수 있는 환경을 선호하는 것으로 나타났다.

선호하는 지역조건의 순위를 정리하여 보면 다음의 표와 같다. 성별에 따라 가장 큰 차이를 보이는 연령대는 30대로 남성의 경우 편리하고 경제적인 삶을 추구하는 결과로 보이며, 여성의 경우는 범죄로부터의 안전이 가장 중요한 조건이었으므로 방범이 철저하게 이루어질 수 있는 지역의 환경설계 및 관리시스템이 갖추어져야 할 것이다.

단위 : %

성별	연령별	1순위	2순위
남성	30대	편의시설(46.8)	역세권(32.3)
	40대	편의시설(39.7)	역세권(34.9)
	50대	주변건강환경(58.8)	역세권(20.6)
	60대	주변건강환경(58.6)	편의시설(18.6)
여성	30대	범죄로부터의 안전(36.6)	역세권 · 편의시설(각각 24.3)
	40대	편의시설(35.1)	역세권(27.2)
	50대	편의시설(39.1)	주변건강환경(31.0)
	60대	주변건강환경(40.5)	편의시설(32.1)

50대 60대 남성은 건강환경요인을 무엇보다도 중요하게 생각하나, 50,60대 여성은 생활편의시설과 주변건강환경을 함께 고려하는 것으로 나타났다.

1인 가구 특성에 따른 맞춤형 주거계획 이루어져야

1인 가구는 비혼자의 증가와 고령화 등으로 계속 증가할 것으로 전망되므로 잠재적 1인 가구 수요층의 특성에 대응하는 맞춤형 주거계획이 필요하다. 소형아파트나 원룸형 주거 외에도 공간공유형이나 서비스 제공 주거 등도 세분화된 수요층의 주거요구 충족을 위해 개발해야 한다.

1인 가구의 생활을 지원해 줄 수 있는 단지환경은 성별, 연령에 따라 선호 조건에 차이가 컸으므로 거주자 특성을 고려한 지역환경 계획이 필요하며, 생활편리성, 친환경, 안전 등에 대한 요구를 중요하게 고려해야 할 것이다.

집필자: 김수경

7

노년기를 위한 집

제7장 노년기를 위한 집

우리나라에서 노인으로 보고 있는 65세 이상 인구의 비율은 빠르게 증가하고 있다. 1990년 219만 5천명(5.1%)에서 2014년에는 638만 6천명(12.7%)에 달했으며, 2030년 1,269만 1천명(24.3%), 2060년에는 1,762만 2천명(40.1%)수준이 될 것으로 전망된다.[1]

일반적으로 인구의 7%이상이 노인일 경우 고령화 사회라 부르며, 14%를 넘어서면 고령사회라 한다. 또한 노인 인구비중이 20%에 이르면 초고령 사회가 되므로 사회구조전반에 걸쳐 이에 대한 대비가 필요하다.

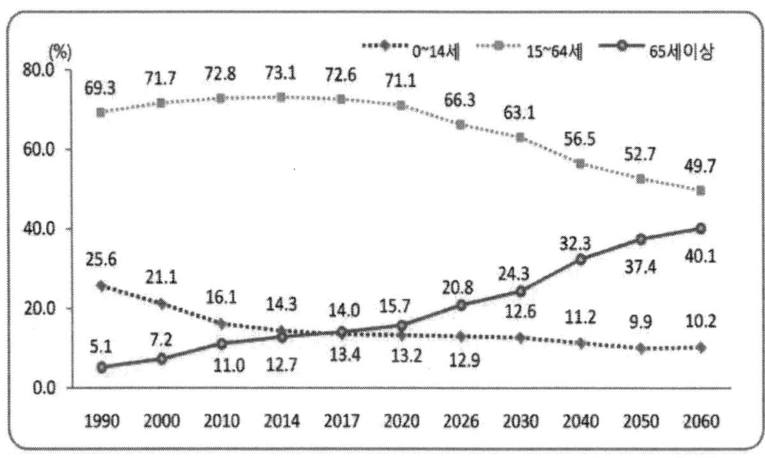

출처 : 통계청, 「장래인구추계」

우리나라의 2008년 고령인구 비중이 전체 인구의 10%를 넘어선 이후 2026년에 고령인구 비중이 20%에 접어들 것으로 전망하고 있어 앞으로 10년쯤 후면 인구 5명 중 1명이 고령자인 시대 도래할 것으로 보고 있다. 특히 75세 이상의 후기 고령자의 증가는 치매와 각종질환, 고독사, 빈곤 등의 노인문제를 심화시킬 것으로 예상되므로 노인 복지 시스템 구축, 노인복지시설, 노인 주거와 생활 서비스 대책 마련 등이 절실한 시점이다.

더 이상 자녀와 함께 거주를 원하지 않는다

노인이 된다면 누구와 어디서 살기를 원할까? 최근 서울시가 발표한'2016 도시정책지표조사 보고서'에 따르면 노후에 자녀들과 함께 살고 싶다고 답한 서울시민은 12.3%에 불과했다. 서울시민 41.6%는 노후에 혼자가 되면 자녀들과 가까운 곳에 있는 독립된 공간에서 따로 살고 싶어하는 것으로 나타났다. 또 실버타운이나 양로원 같은 노인 전용 공간에서 살고 싶다는 응답자도 37.4%나 됐다.

국민권익위원회 조사(2014) 를 보면 노후를 '배우자와 함께 보내겠다'는 응답이 24.7%, '나 혼자'는 24.4% 순으로 많았으며, '자녀와 함께 지낼 것으로 기대'하는 응답은 7%에 불과했다.[2]

본 조사 결과도 이와 다르지 않았다. 노후에 자녀와 함께 생활하는 것에 대해 55.5%는 희망하지 않았고 12.6%만이 자녀와 거주하기를 희망하는 것으로 나타나고 있다.

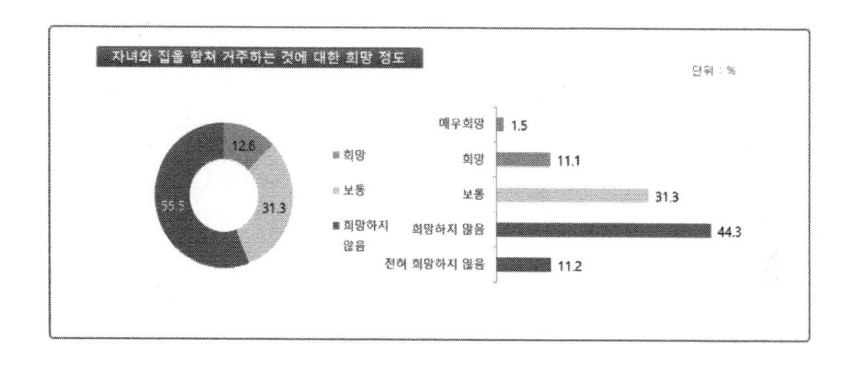

이는 한국 주택 협회에서 1993년에 발표한 결과와는 큰 차이를 보인다. 노인 주거 시설의 입소를 희망하지 않는 이유로 50%의 응답자가 '자녀와 살고 싶어서'라고 응답한 반면 '현재생활 만족' 20.7%, '단체생활의 구속이 싫어서' 16.7%로 노년기생활에서 개인적인 이유보다는 자녀와의 관계성을 더 중시하고 있었음을 알 수 있다.

최근 고령자를 대상으로 한 조사 결과는 노후독립생활에 대한 인식 변화를 더 명확히 보여준다. 통계청이 발표한 '2015년 사회조사 결과'에 따르면 60세 이상 고령자 75.1%가 향후에도 자녀와 '같이 살고 싶지 않음'에 응답하였는데 이 비율은 2005년 52.5%, 2009년 62.9%, 2013년 73.0%로 지속적으로 증가하고 있음을 알 수 있다.

2015년 조사에서 60세 이상 고령자 중 자녀와 같이 사는 비율은 31.6%였다. 같이 사는 이유로는 '자녀의 독립생활 불가능(34.2%)', '본인의 독립생활 불가능(29.3%)', '손자녀 양육 및 자녀 가사 도움 (12.1%)' 이 주요 원인으로 꼽혔다. 2013년 조사에서는 '본인의 독립생활 불가능(36.0%)'에 대한 응답률이 '자녀의 독립생활 불가능(29.3%)'보다 더 많았지만 각각 29.3%, 34.2%로 역전됐다. 이는 늙은 부모가 자식의 도움 없이 혼자 사는 것이 어려워서가 아니라 자녀의 정착이 늦어져 부모의 보살핌이 필요하거나 가정을 꾸렸더라도 일과 가정의 양립을 위해 부모의 손길을 빌릴 수밖에 없는 사회 시스템 때문인 것으로 보았다.

'손자녀 양육 및 자녀 가사도움'을 이유로 자녀와 같이 사는 노인들은 2013년 10.2%였지만 2015년 12.1%로 늘었다.

노인들이 자녀와의 동거를 원치 않는 이유로 '따로 사는 것이 편해서(34.8%)'와 '독립 생활이 가능해서(26.6%)'가 가장 높은 응답률을 보였다.

한편 60세 이상 연령층이 노후준비를 '자녀에게 의탁(27.0%)하려는 비율은 2년 전인 2013년 조사 결과(31.7%)보다 약 5%포인트 줄어서 노후를 본인 스스로 해결하려는 인식이 강해졌음을 알 수 있다.[3]

경제력이 필요해

노후에는 어떤 주거에서 살아가길 원할까? 통계청이 발표한 '2015년 사회조사' 결과에 따르면 60세 이상 고령자가 자녀와 떨어져 장래에 살고 싶은 곳으로는 자기 집(86.0%)이 가장 많았고, 연령이 높아질수록 양로·요양시설 선호도가 높아지는 것으로 나타났다.

본 조사 결과, 노년기에 희망하는 주거형태로 편리한 도심 아파트와 주상복합(3.49), 노인복지주택, 즉 실버타운(3.34), 살던 주택에 그대로 또는 개조 후 거주(3.17) 등의 순으로 높은 점수를 얻었다. 이에 비해 공공주거나 사회주거의 성격을 지닌 노인 전용 임대아파트(2.9)나 노인복지공동시설, 즉 양로원(2.53)에 대한 선호는 낮았으며, 자녀와 집을 합쳐 사는 형태(2.47)는 희망하지 않았다.

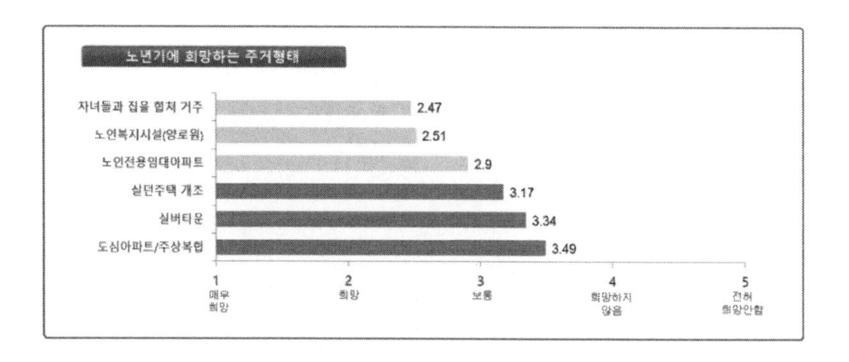

다시 말해, 노후에 거주를 가장 희망하는 주택유형으로 생활편의 시설이 잘 갖추어지고 교통이 편리한 '도심의 아파트나 주상복합'을 55.9%가 희망하였고, 그 다음이 노인복지주택(실버타운)을 희망하는 경우로 48%였다. 이에 비해 노인전용 임대아파트(26.2% 선호)와 양로원 등의 노인 공동 복지 시설(13.2% 선호)에 대한 선호는 상대적으로 적었다. 자녀와 집을 합쳐 함께 거주하고 싶다고 응답한 경우는 12.6%에 불과했다.

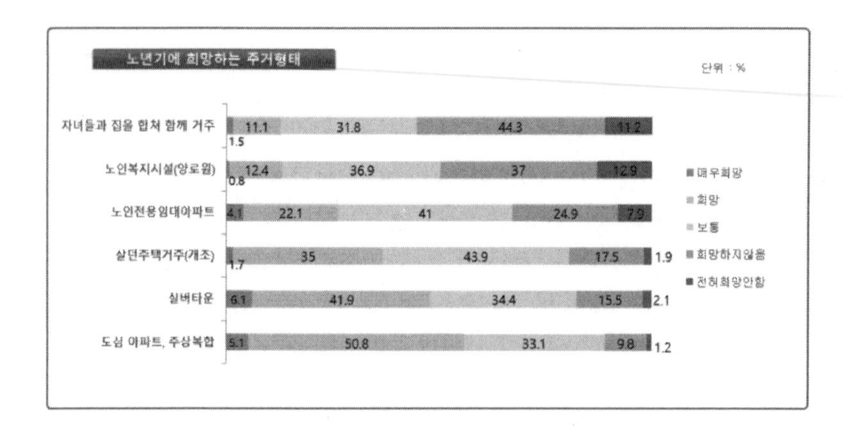

응답자들은 노후에 생활이 편리한 곳이나 생활서비스가 제공되고 편의시설이 갖추어진 곳에 거주하기를 가장 원하였고 생활서비스가 제공되는 실버타운도 선호도가 높았는데 이는 노후에 경제적인 여유가 있어야 가능한 주거형태이다. 더구나 신체적으로 자립이 어렵게 되는 단계에서는 스스로 하는 것이 힘들어져 생활

서비스뿐 아니라 간병, 간호 서비스도 필요하게 되므로 노후를 위한 경제적인 준비가 필요하다.

한편 노인 전용 임대아파트나 노인 복지 공동시설인 양로원은 비교적 저비용으로 거주할 수 있다는 장점은 있으나 선호되지 않았다. 낮은 비용으로도 효율적인 서비스를 제공받을 수 있는 관리 시스템을 구축해야 하며, 이를 활용할 수 있는 프로그램과 복지차원의 지원이 필요하다.

에이징 인 플레이스에 대한 의식

'에이징 인 플레이스'는 '노인시설'의 반대개념에서 생겨났다. 이제까지는 자립생활이 가능할 때까지는 자신의 집에 살다가 집에서의 케어가 어려워지면 자신의 생각보다는 주위의 판단에 따라 시설로 입주하는 것이 하나의 패턴이었다.[4] 이처럼 노후를 낯선 환경의 특정한 시설에서 보내는 것이 아니라 지금까지 살던 친숙한 환경에서 사는것이 '에이징 인 플레이스'이다. 즉 나이가 듦에 따라 신체적, 정신적 저하가 일어나고 허약해지더라도 노인시설에 들어가는 것 보다는 자택에서 서비스를 받는 것을 뜻한다. 이로 인해 노인시설로 들어가는 것을 늦추거나 피하는 것이 가능해진다.[5]

에이징 인 플레이스를 위해서는 심신이 허약해지는 것에 대비해 핸드레일 설치, 바닥단차 해소, 미끄럼 방지 바닥재, 변기교체 등 집을 개조할 필요가 있다.

조사 결과를 보면 살던 집에 그대로 또는 개조해서 계속 사는 것에 대해 37.2%가 희망, 43.9%가 보통, 19.4%가 희망하지 않았다. 살던 집에 살기를 원하는 경우가 희망하지 않는 경우보다 많지만 37.2%에 그친 것은 계속 살기 불편한 집 구조와 주택수리 및 개조의 어려움, 매뉴얼의 부재, 비용에 대한 부담이 원인이 되었을 것이다. 여러 학자들이 고령자가 노인시설의 입주를 피할 수 없는 최대의 이유는 주거의 건축구조와 서비스 지원의 부족 때문이라고 판단하고 있기 때문이다.

최근에는 고령자가 스스로 건강할 때, 인생 3막을 위한 주거를 능동적으로 선택하는 경향을 보이고 있다.[6] 인생을 마치기 전까지 안심하고 노후생활을 보낼 수 있는 주거를 적극적으로 찾아 준비하는 노인들이 늘고 있는 것이다. 살던 집에 계속 거주를 하기 위해서는 고령자들이 살아가는데 불편함이 없는 집 구조와 공간디자인이 이루어져야 있고 생활 요구에 부응하는 서비스를 제공할 수 있는 시스템이 갖추어져야 하지만 현실적으로 어려워 이사를 통해 해결하려는 것으로 보인다.

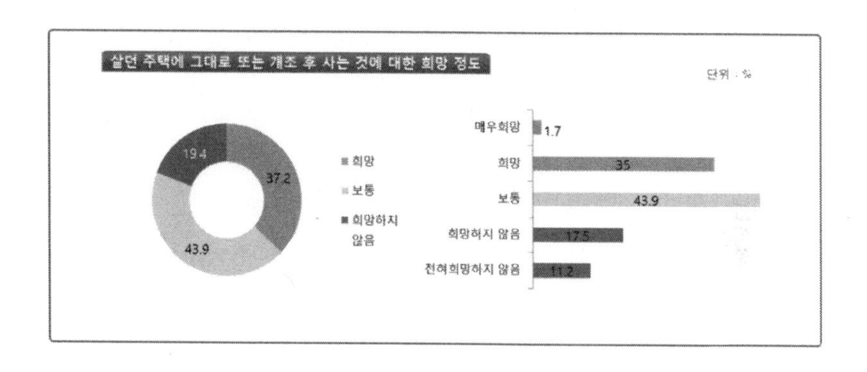

개조보다는 이사

노후 거주지역 및 이사에 관한 질문에 대해 희망하거나 매우 희망한다는 응답 결과를 보면, 개조나 시설설비를 하여 살던 주택에 그대로 살기(36.7%) 보다는 노년기 생활에 맞는 주택으로 옮기기를 더 원하는 것으로 나타났다.

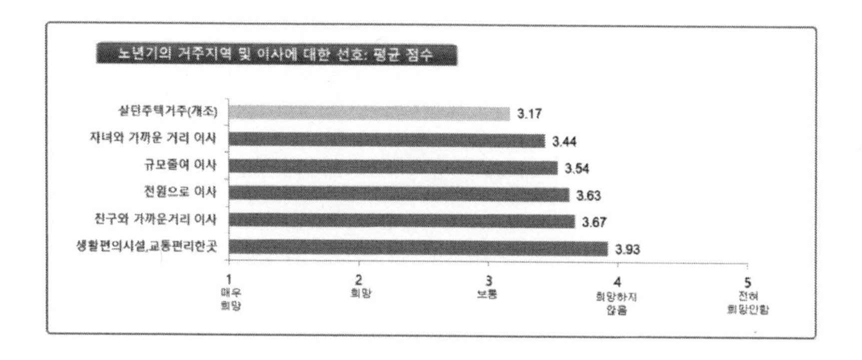

다시 말해 노년기를 대비해 생활이 편리한 곳으로 규모를 줄여 이사하려는 요구가 집을 개조하여 살던 집에 계속 거주하려는 요구보다 훨씬 컸다. 노인들은 현재의 주거에 거주한 기간이 길어 주거의 상태가 노후화 된 경우가 많고 계속 거주하기를 원하더라도 노인의 신체조건에 맞는 실내설비나 개조가 용이하지 않고 비용이 많이 듦으로 실행하지 못하는 실정이다. 주거를 옮기면 어느 정도 문제가 해결되므로 살던 주택에 계속 살기보다 이사를 더 선호하였다.

최근에는 건강한 노인이 입주하는 고령자 주택도 증가하고, 교통이 편리한 역세권에 위치하여 생활편의를 제공받을 수 있는 주거의 선택폭도 넓어지고 있다. 편리한 주거의 선택은 노화가 진행되어 신체기능이 저하되어도 시설에 가는 대신 자신의 집에 계속 거주할 수 있는 가능성을 더 높일 수 있다. 또한 노인들이 자신의 집에서 계속 거주하기 위해서는 생활서비스나 가사서비스, 간병서비스 등 노년기 생활을 지원하는 시스템 또는 연계시설이 구축되어 사는 곳에서 쉽게 활용할 수 있어야 한다. 따라서 노년기에 생활이 편리한 곳으로 규모를 줄여 이사하려는 요구가 크게 나타난 것으로 여겨진다.

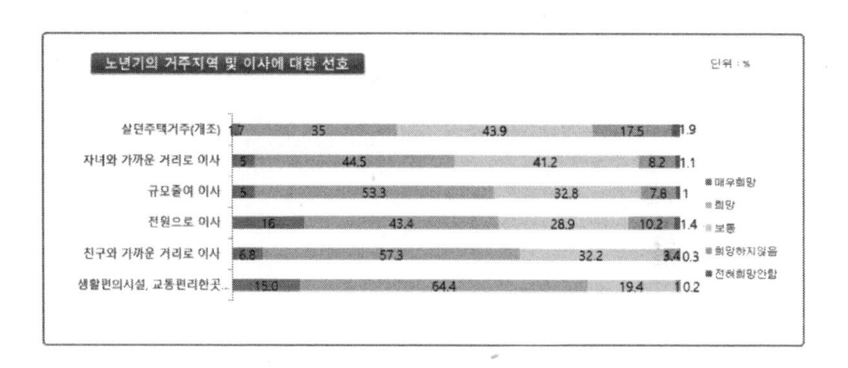

노년기를 위해 이사를 하여 거주공간을 옮기게 될 경우 생활편의시설이 갖추어지고 교통이 편리한 곳에 대한 희망 정도가 79.4%로 가장 높았으며, 다음으로 친구와 가까운 거리로 이사(64.4%), 전원으로 이사(59.4%), 주택규모를 줄여 이사(58.5%), 자녀들의 집과 가까운 거리로 이사(49.5%) 순으로 나타났다. 즉 노후생활의 여건에 맞는 규모나 위치의 주택으로 이사하기를 희망하였으며 친구, 자녀와의 거리를 중요하게 생각하는 것으로 나타났다.

앞서 언급했듯이 자녀와 집을 합쳐서 사는 것에 대해서는 55.5%가 부정적이었고 12.6%만이 희망하였으나, 자녀와 가까운 거리로 이사하는 것에 대해서는 49.5%가 희망하였다.

이는 서울시의'2016 도시정책지표조사 보고서'에서 노후에 자녀들과 함께 살고 싶다고 답한 서울시민은 12.3%에 불과한데 반해 서울 시민 41.6%는 노후에 혼자가 되면 자녀들과 가까운 곳에 있는 독립된 공간에서 따로 살고 싶다고 한 것과 비슷한 결과를 보여준다.

따라서, 노후에 주거지역을 선택할 때 자녀, 친지, 친구와의 가까운 거리도 중요하게 고려하여야 할 조건이다.

자녀보다는 친구와 가까이 살고 싶은 여성들

노인들이 이사를 가지 않고 오랫동안 한 곳에 사는 것을 좋아하는 가장 큰 이유는 이웃, 친구와의 사교활동을 그대로 유지할 수 있기 때문이다. 이처럼 노인들의 심리에 자리잡고 있는 생의 가장 중요한 관심사는 믿을 수 있는 친구와 이웃들과의 허물없는 교제이다. 그렇기 때문에 노인들이 부득이한 사정으로 자기집을 떠나 노인 전용주거시설에 입소할 때 그 시설의 입지조건으로 가장 선호하는 것은 자기가 살아온 집에서 멀지 않은 근린 지역이다.[7]

본 조사에서도 친구 또는 자녀와 가까운 거리에 사는 것에 대해 남성, 여성 모두 긍정적이었다. 다만 자녀와 함께 사는 것에 대해서는 부정적인 결과를 보였으며 여성이 남성보다 유의적으로 더 부정적이었다.

여성은 친구와 가까이 사는 것에 대해 매우 긍정적인 반응을 보였는데 자녀와의 거리보다 친구와의 가까운 거리를 더 고려하는 유의적인 결과를 보여 주었다. 또한 여성은 남성보다 친구와의 거리를 더 고려하는 것으로 나타났다.

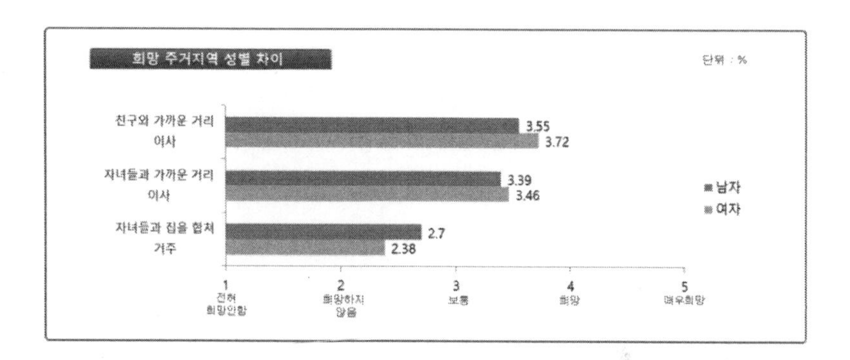

남성은 자녀들과 집을 합쳐 거주하는 것에 대해서 여성보다 덜 부정적이며, 친구나 자녀와 가까운 거리로 이사하는 것에 대해 긍정적이었으나 친구나 자녀 중 어느 한쪽을 더 선호하지는 않았다.

또한 연령이 높을수록, 자가에 살고 있는 경우, 자녀와 가까운 거리에 거주하려는 요구가 더 큰 것으로 나타났다. 그러나 고용정보원 '2010 고령화 연구패널 3차 기초 보고서'는 부모의 나이가 많을수록 자녀와 함께 사는 비율은 줄고, 따로 살 경우 거리도 먼 것으로 나타났다고 보고했다.

도시의 편리함인가? 전원생활인가?

조사 결과 노후에 전원생활을 하는 것과 편리한 도심에 사는 것에 대해 모두 긍정적인 반응이 나타났다.

최근, 도시의 생활을 정리하고 전원지역으로 이사하여 노후를 보내기를 원하는 사람이 증가하고 있다. 도시에서 바쁘게 생활해 온 사람들에게는 혼잡스러운 도시생활을 떠나 전원으로 이사하면 노후에 여유로운 생활을 할 수 있을 것이라고 생각하기 때문이다. 그러나 인간관계나 생활의 불편함 등을 감수해야 하고 여러 가지 시행착오를 겪을 수 있다.

또한 노후에는 건강과 관련한 여러 가지 응급상황이 있을 수 있으므로 병원시설 및 의료서비스와 가까운 곳을 선택하고 비상시 긴급 연락시설을 갖추는 일도 필요하다. 난방 및 온수시설, 주택내 안전설비와 디자인 등도 충분히 고려해야 한다.

한편으로는 노인주택의 접근성이나 생활편리성, 보건의료시설 이용 용이성 등을 고려하여 도심에 위치하는 것이 바람직하다는 주장도 설득력 있게 받아들여지고 있다. 교통이 편리하고 생활편의시설이 갖추어진 도심의 아파트나 오피스텔 또한 노후의 주택으로 선호가 높아지고 있다.

그러나, 전원으로 이사하는 것과 도시편리성을 추구하는 것의 선호 정도는 성별에 따라 차이를 보였다. 남성은 전원으로 이사하는 것을 여성보다 더 선호하였으며, 여성은 도시의 편리함을 남성보다 더 선호하는 것으로 나타났다.

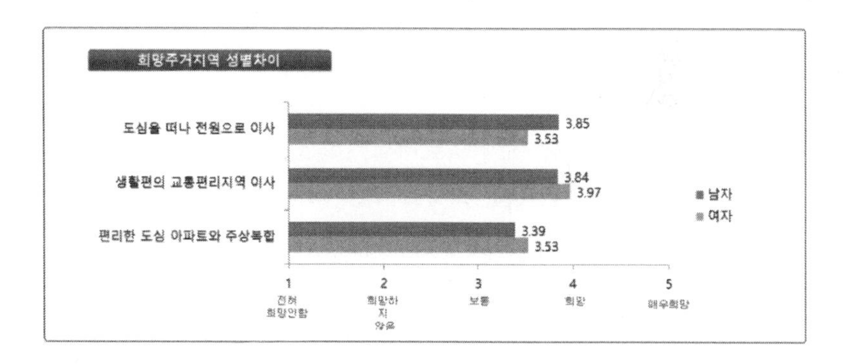

또한, 노년기에 생활과 교통이 편리한 곳에 거주하려는 요구는 연령이 증가할수록 커지는 것으로 나타났다.

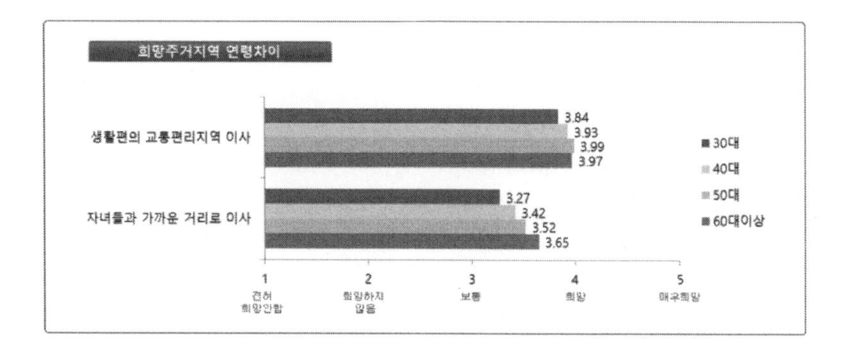

정경희 외(2011)의 조사에서도 성별에 따른 선호도는 이와 비슷한 결과를 보였다. 노후의 주택 선택 시 우선하는 조건을 조사한 결과, '주거 및 생활비용'이 17.4%, '식사 및 일상생활 서비스 접근성'9.5%, '보건 의료시설 접근성'21.4%, '문화여가활동 용이성'12.8%, '자연환경'이 38.8%로 나타났으며, 자연환경에 대한 선호는 남성이 더 높게, 보건의료시설이나 문화여가활동, 식사 등 일상 서비스 접근성에 대한 선호는 여성이 더 높은 것으로 나타났다. 또한 노령기의 연령에 가까워질수록 자연환경에 대한 선호는 줄고 보건의료시설 접근성과 주거 및 생활비용을 우선조건으로 제시하는 비율이 늘고 있다.[8]

노년기 주거선택에 영향을 주는 요인

노년기 주거선택에 영향을 주는 요인들을 정리해 보면 다음의 표와 같다.

노인편의주거나 노인 전용 시설주거 선호에 영향을 미치는 요인은 주로 사회인구학적 요인이었다. 따라서 노인 전용 주거를 계획할 때는 사회인구학적 요인에 따른 수요자 분석이 필요하다.

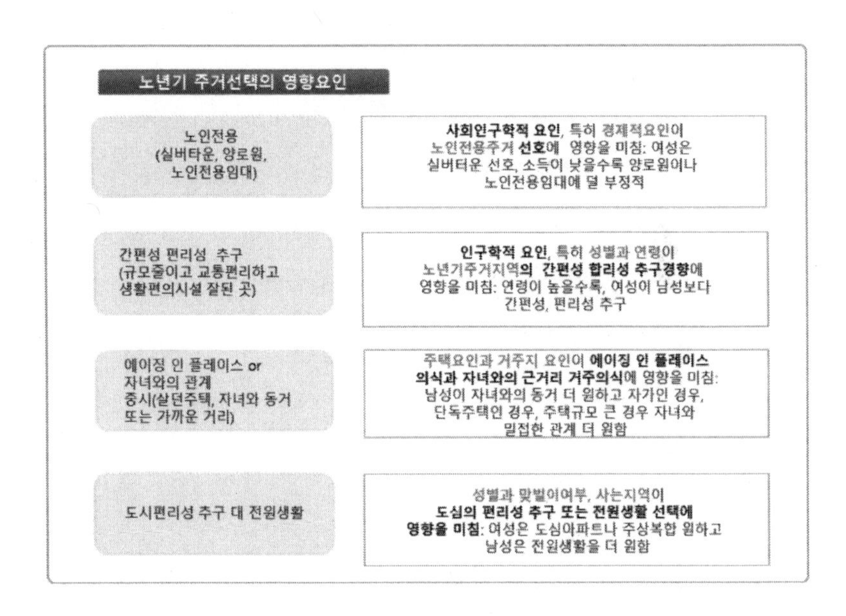

경제적 수준이 낮을수록 노인 전용임대나 양로원 시설 등에 대해 덜 부정적이었다. 경제적 요인은 노인주거를 선택할 때 큰 제한 요소로 작용하며 주거 선택의 폭을 줄이는 역할을 하므로 저소득의 노인을 위한 정부나 지자체의 주거생활 지원이 필요하다.

간편성, 합리성 추구 성향은 인구학적 특성이 영향 요인으로 작용하는데 성별과 연령이 영향을 미쳤다. 여성이 남성보다, 연령이 높을수록 간편성, 합리성 추구 성향이 커졌다.

에이징 인 플레이스와 자녀와 가까이 지내려는 성향은 자가여부, 주택유형, 주택규모에 의해 영향을 받았다. 자가인 경우와 단독주택에 사는 경우, 주택규모가 큰 경우 자녀와 가까이 살기를 더 원하는 것으로 나타났다.

도시의 삶을 추구하는 성향은 성별, 맞벌이 여부, 현재 거주하는 지역과 관계가 있었다. 여성은 도시편리성에 대한 선호가 남성보다 더 높았으며, 남성은 전원생활에 대해 여성보다 더 긍정적이었다. 맞벌이인 경우도 도시 편리성을 추구하였다.

노년기의 자립생활을 위한 주거대안 필요

우리나라는 10년 후인 2026면에는 65세 고령인구가 20%에 달하는 초고령 사회에 진입할 것으로 예측되고 있다. 이에 사회, 경제 전반에 걸친 대비가 요구된다. 특히 고령자들이 어디에서 어떻게 살다가 삶을 마감하는지의 고령자 주거생활의 문제가 심각하게 다가오고 있다. 고령자의 존엄을 유지하며 자립을 최대한 지원할 수 있는 주거환경 마련이 절실하다.

우리나라의 고령자 주거는 자택 아니면 시설로 이분되는 성격이어서 주거선택의 폭은 좁을 수 밖에 없다. 고령자가 신체적 상태나 경제 상황에 따라 선택할 수 있는 주거대안이 적으며 이에 대한 사회보장도 필요에 미치지 못하는 수준이다. 또한 고령자의 자립생활을 도울 생활서비스도 미흡한 실정이다. 고령자의 건강정도나 경제상황에 따라 적정한 주거형태를 선택할 수 있도록 다양한 노인 맞춤형 주거가 계획되어야 하며 생활을 뒷받침 할 서비스 체계도 갖추어져야 자립생활을 할 수 있는 기간을 최대한 연장할 수 있을 것이다.

우리나라 고령자 빈곤율은 심각한 상태로 OECD 국가중 65세 이상 빈곤율이 가장 높다고 보고되고 있다. 조사결과 주택의 규모가 작을수록 임대아파트를 더 고려하는 것으로 나타났다. 합리적 비용으로 안정된 생활을 할 수 있도록 저소득층 노인을 위한 주거대안 개발이 절실하며 이 부분에 있어 노인 복지와 연계하여 해결하려면 정부의 지원도 필요하다. 최근 지방 자치단체를 중심으로 저렴한 비용으로 장기 임대가 가능한 쉐어하우스가 노년기 주거 대안으로 제시되고 있다.

또한 집을 개조하거나 시설설비를 하여 계속 거주하기 보다는 노년기에 맞는 집을 찾아 이사를 더 고려하는 것으로 나타나는데 이는 주택개조 및 노인복지용구를 대여가 어렵기 때문일 수 있다. 휠체어 이용자를 위해 주택 일부의 개조, 핸드레일 설치, 바닥 단차 해소, 미끄럼 방지 바닥재, 변기교체 등 개조가 가능하다면 좀 더 오랜 기간 자신이 살던 집에서 인간다운 삶을 누릴 수 있을 것이며 이 부분에 대한 관심과 지원이 필요하다.

집필자: 김수경

8

나눠서 살기 좋은 집

제8장 나눠서 살기 좋은 집

일명 '한지붕 두가족 아파트'라고 불리는 세대분리형 아파트가 관심을 받고 있다. 1 인가구 증가추세와 대형 평형에 대한 수요의 감소, 부동산을 통해 임대수익을 얻고자 하는 요구 등이 세대분리형 아파트 수요를 증가시키는 원인이 된다. 세대분리형 아파트는 공간의 적절한 구획을 통해 분할사용으로 공간사용의 효율성을 높이고 가족의 근거리 거주나 부분 임대도 가능하게 해준다. 본 장에서는 세대분리형 아파트에 대한 수요자의 다양한 요구를 파악하여, 어떻게 계획되고 사용하기를 원하는지 분석하고자 한다.

세대분리형 아파트란?

세대분리형 아파트란 주택 공간의 일부를 각 가구가 분리하여 독립적 생활이 가능하도록 계획된 주택으로, 필요에 따라 세대 일부를 임대하거나 또는 통합 사용도 가능한 구조의 아파트를 말한다. 1주택으로 분류돼 임대소득과세에서도 자유롭고 두 가구가 각자 현관을 갖추고 있어 사생활을 보호할 수 있는 장점이 있으며, 세입자의 경우 커뮤니티 시설과 높은 보안성 등 아파트의 장점을 누릴 수 있어서 임대가 용이하다. 주택 시장 측면에서 보면 새로운 전월세 주택의 공급원을 확보한다는데 의의가 있으며, 공간 활용 측면에서 보면 잉여 침실 공간을 전월세용으로 활용하게 되므로 가용주택 차원을 최대화할 수 있다는데 의의가 있다.[1]

또한 주택의 양적 확대라는 정책에 부응하는 방법이며 세입자에게 주택구입 자금의 부담을 시간적으로 연장해주고, 소유자에게는 주택구입의 실질적 주택자금 지원 효과를 줄 수 있다. 최근 빠르게 증가하는 1인 가구용 주택공급원이 될 뿐 아니라 신혼부부나 노인을 위한 독립적인 생활공간을 제공한다는 점에서 의의가 크다.

세대분리형 아파트의 건축기준

국토부는 2012년 세대분리형 아파트를 구성하기 위한 건설기준을 정하였는데 그 내용은 다음과 같다.[2] 공간구성은 임차세대(작은 세대) 부분은 1개 이상의 침실, 개별부엌, 개별욕실(샤워시설 구비)확보, 독립된 부엌 설치, 독립 가능한 세대 내 연결문(비상 피난시설)을 설치하여야 한다.

설비요건을 보면, 가스, 전기, 수도설비 관련 개별 계량기 설치(관리비 별도 부과)하여야 한다.

면적기준은 작은 세대 기준으로 14m² (1인 최저주거 기준) 이상 36m² 이하 규모 확보를 원칙으로 하며, 총면적 기준이 이전에 85m² 이상이었으나 면적기준을 정하지 않는 것으로 변경되었다.

부대복리기준시설 기준을 보면 60m² 이상의 가구당 주차시설 1대로 계획되어 있으나, 60m² 이하인 경우는 0.7대이므로 임차가구당 0.2대 이하의 범위에서 지자체가 강화할 수 있도록 규정하고 있다.

전체 아파트 단지 세대에서 세대분리형 주택 비율이 적용되고 있으며 임차가구의 수가 전체세대의 1/3을 초과하지 않고 임차가구의 총면적(전용)도 전체세대 총면적의 1/3을 넘지 않도록 한다.

리모델링을 위한 변경은 허용하되 행위허가를 통한 세대구분형 주택으로의 변경은 금지되어 있는 상태이다.

세대분리형 아파트를 구매할 의향이 있는가?

세대분리형 아파트는 1인가구와 주택비용의 증가로 비롯된 주거공급문제의 해결책으로, 젊은층의 주거비 부담과 집 있는 노인가구의 생활문제를 해소하는 방안이 될 수 있다. 최근 분양되는 세대분리형 아파트가 높은 경쟁률을 기록한 것은 그러한 관심과 선호가 반영된 결과이다.

본 연구의 결과에서도 세대분리형 아파트에 대한 소비자의 선호가 드러나고 있다. 향후 아파트를 구매할 때 세대분리형을 구매할 의향이 있는지를 묻는 질문에 대해 47.6%이 '의향이 있다'고 답했으며, '모르겠다'는 응답이 33.5%, '구매의사가 없다'는 응답이 18.9%를 차지하여 높은 구매의사를 보여 주었다. 성별, 연령, 가족형태 등에 따라 차이를 보이지는 않았으며, 수입이나 주택특성에 따른 차이도 나타나지 않았다. 다만 60대 이상에서는 남성의 57.1%가 구매할 의사가 있다고 하여 다른 연령층 남성보다 세대분리형 아파트에 대한 요구가 큰 것으로 나타났다.

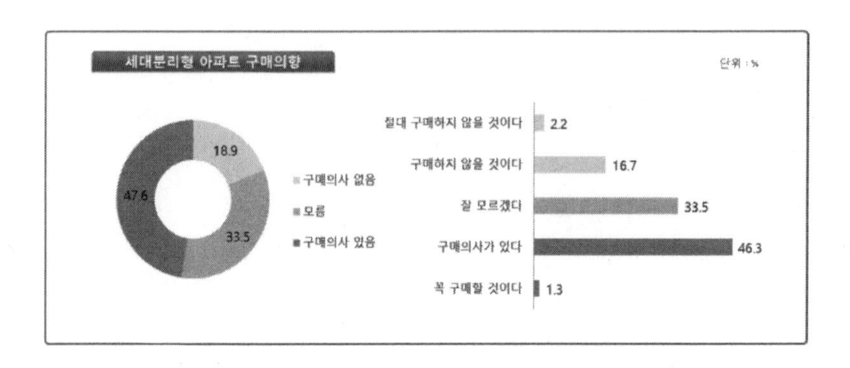

다양한 세대분리형 아파트 구매이유

세대분리형 아파트에 대한 수요자의 다양한 요구를 파악하기 위해 구매 고려 이유를 조사하였다.

세대분리형 아파트 구매를 고려하는 이유는 성년 자녀에게 독립된 공간 제공(33.7%), 임대소득(25.7%), 노부모를 가까이에서 돌봐드리기 위함(21.1%), 어린 자녀 양육에 대한 도움 받음(18.8%) 순으로 나타났다.

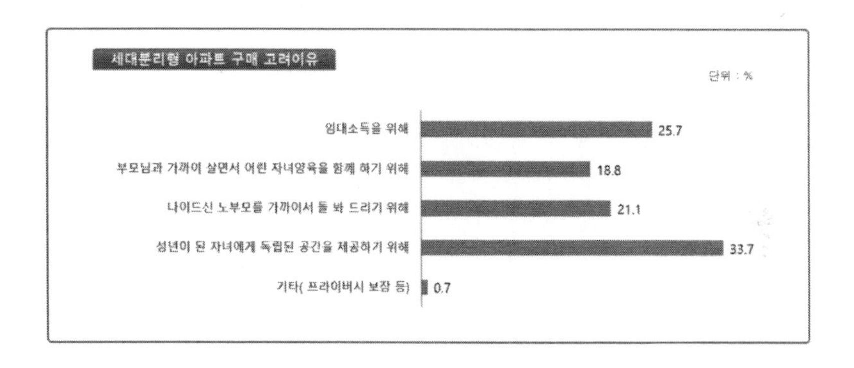

세대분리형 아파트는 임대소득을 얻고자 하는 경제적 이유에서 기본적으로는 부분 임대형으로 계획되어 왔으나, 수요자의 입장에서는 임대소득뿐 아니라 세대간 독립된 공간 제공과 가족 인접거주로 인한 상호간 도움이나 교류의 필요를 효과적으로 해결하려는 목적으로 구매를 고려할 것이라고 응답하였다. 임대 용도 외에도 가족의 프라이버시 조절이나 세대간의 적절한 관계성 유지 및 생활의 도움을 주고 받기 위해서 세대분리형 평면이 유용하게 활용될 수 있을 것이다.

수요자 특성에 따른 세대분리형 구매이유

세대분리형 아파트 구매를 고려하는 이유는 연령, 가족형태, 가족수, 주택규모에 따라 차이를 보였다.

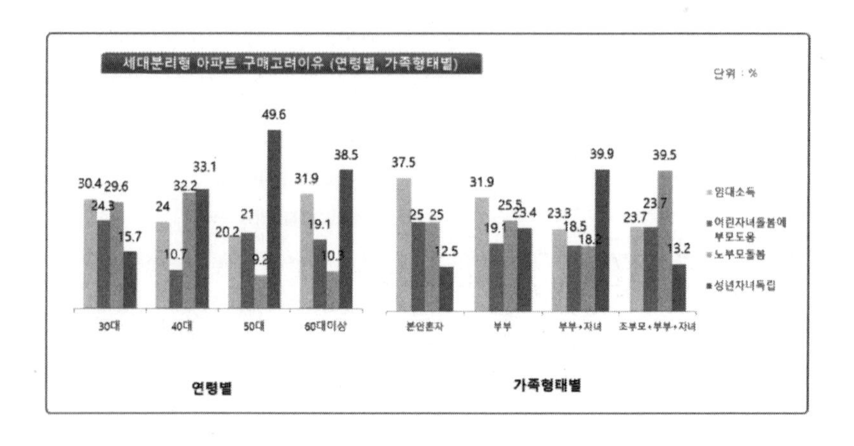

30대는 임대소득을 가장 중요하게 고려(30.4%)하였으며, 그 다음으로 부모와 인접해서 살기 위해(29.6%), 40대는 자녀를 독립시키기 위한 공간으로 활용(33.1%)하고 부모세대를 가까이 돌보기 위해(32.2%), 50대 60대는 성년자녀의 독립적 공간확보를 목적으로(각각 49.6, 38.5%) 세대분리형 아파트를 필요하다고 생각하였고 60대는 임대소득(31.9%)도 기대하는 것으로 나타났다. 또한 30대는 자녀 양육의 도움(24.3%)을 받기 위한 방법으로도 세대분리형을 고려하는 것으로 나타났다.

가족형태에 따라 살펴보면 혼자 사는 1인 가구는 임대소득을 위해(37.5%), 부부 가족인 경우도 임대소득을 위해(31.9%), 부부+자녀 가족은 성년자녀에게 독립된 공간을 제공하기 위해(39.9%), 조부모+부부+자녀 가족은 세대간 독립된 공간을 가지면서 가까이에서 노부모를 돌보기 위해(39.5%) 세대분리형 아파트 구매를 고려하였다. 2015년 통계청의 '사회조사' 결과로 볼 때, 60세 이상 고령자 중 자녀와 같이 사는 비율은 31.6%이었으나 상호간에 동거를 원하지 않는 경우가 늘고 있다. 노후에 자녀와 함께 거주를 희망하는 응답이 12-13%정도에 불과하다는 선행 연구 결과를 볼 때,[3,4] 세대간 생활공간의 독립성을 조절할 수 있는 세대분리형은 바람직한 대안이 될 수 있다.

그 밖에 가족수 1-2인의 경우 임대소득을 위해, 3-4인의 경우 성년자녀 독립을 위해 세대분리형을 고려하는 비율이 높았다. 가족수 5명 이상(3대 또는 부모와 동거하는 부부가족의 경우가 43.3%를 차지)은 임대소득과 자녀양육 도움을 위해 세대분리형 고려하였다.

주택규모 20평 미만의 경우 임대소득을 위해서(34.0%)라는 응답이 많았으며, 20평 이상 40평 미만에서는 성년자녀에게 독립된 공간을 제공하기 위해 필요하다는 응답이 34.8%를 차지하였고, 40평 이상 거주자는 성년자녀 독립이나 어린 자녀 양육에 부모의 도움을 받거나 또는 손자녀를 가까이서 돌보기 위한 목적으로 세대분리형을 원하였다.

조사대상 별 세대분리형 고려이유를 정리하면 다음의 표와 같다.

구분		1순위	2순위/(3순위)
연령별	30대	임대소득	노부모 돌봄/(어린자녀 양육)
	40대	성년자녀독립	노부모 돌봄/(임대소득)
	50대	성년자녀독립	손자녀돌봄
	60대	성년자녀 독립	임대소득
가족수별	1-2인	임대소득	노부모돌봄 · 성년자녀독립
	3-4인	성년자녀 독립	임대소득
	5인이상	임대소득 · 손자녀돌봄	임대소득 · 손자녀돌봄
가족형태별	1인(본인)	임대소득	노부모 돌봄 · 손자녀 돌봄
	부부	임대소득	노부모 돌봄
	부부+자녀	성년자녀 독립	임대소득
	부모+부부+자녀	노부모 돌봄	임대소득 · 손자녀돌봄
주택규모별	20평 이하	임대소득	성년자녀 독립
	20평-40평	성년자녀 독립	임대소득
	40평 이상	성년자녀 독립	손자녀돌봄

연령대별로 세대분리형 아파트 구매를 고려 이유에 차이를 보이는 것은 연령대에 따른 소득의 차이, 자녀 연령의 차이, 노부모 부양에 대한 필요성의 차이에서 비롯되었다고 볼 수 있다. 상대적으로 낮은 소득수준을 보인 30대와 60대의 경우 세대분리형 아파트의 임대소득을 중요하게 생각하였으며, 50대 60대의 경우 성년자녀의 독립을 위한 공간제공 용도로 세대분리형 평면에 대한 요구가 높음을 볼 수 있다. 독립된 거주공간을 얻기 어려운 자녀 세대를 위한 독립이나 분가의 형식으로 세대분리형 아파트가 경제적이고 합리적인 해법이 될 수 있을 것이다. 또한 자녀가 어린 30대에서는 자녀 양육을 위해, 30,40대에서는 부모와 가까이 거주하면서 돌봐 드리기 위해 세대분리형을 원하는 것으로 파악되

었다.

세대분리형 고려이유에 따라 선호도가 높게 나타난 수요자 특성을 정리하면 다음의 표와 같다.

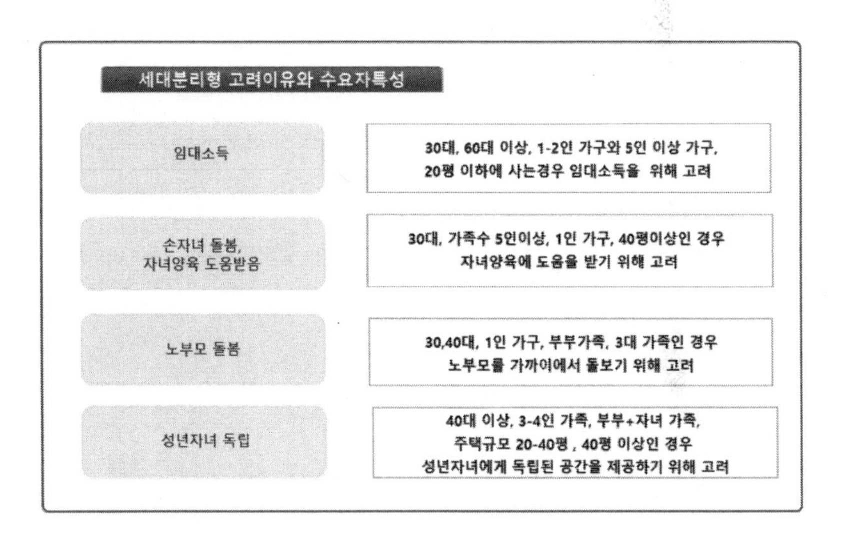

세대분리형 고려이유와 수요자특성

고려이유	수요자특성
임대소득	30대, 60대 이상, 1-2인 가구와 5인 이상 가구, 20평 이하에 사는경우 임대소득을 위해 고려
손자녀 돌봄, 자녀양육 도움받음	30대, 가족수 5인이상, 1인 가구, 40평이상인 경우 자녀양육에 도움을 받기 위해 고려
노부모 돌봄	30,40대, 1인 가구, 부부가족, 3대 가족인 경우 노부모를 가까이에서 돌보기 위해 고려
성년자녀 독립	40대 이상, 3-4인 가족, 부부+자녀 가족, 주택규모 20-40평 , 40평 이상인 경우 성년자녀에게 독립된 공간을 제공하기 위해 고려

즉 임대소득을 위해 세대분리형을 고려하는 수요자는 30대와 60대 이상 연령층, 1-2인 가구와 5인 이상 가구, 20평 이하의 거주자이며, 30대, 가족수 5인이상, 40평 이상 주거에 거주하는 경우는 자녀양육에 도움을 받기 위해서 고려하는 것으로 나타났다. 30-40대, 부부가족, 3대 가족인 경우 노부모를 가까이에서 돌보기 위해 고려하였으며, 성년자녀에게 독립된 공간을 마련해주고자 세대분리형을 원하는 경우는 40대 이상, 3-4인 가족, 부부+자녀

가족, 주택규모 중규모 이상인 경우였다.

어떤 세대분리형 구조가 좋을까?

지금까지 분양되었던 세대분리형 중 대표적인 형태는 큰 면적부분과 작은 면적부분으로 구획하는 방법이다. 임차세대가 작은 세대 부분을 사용할 수 있도록 계획한 부분 임대형의 전형적 평면이다. 개별 출입구, 침실, 개별부엌, 개별욕실(샤워시설 구비), 독립된 부엌 등으로 구성되어 있다. 경우에 따라서는 임차세대를 원룸형으로 구성하여 최소의 면적으로 계획할 수도 있다.

또한 세대분리 계획을 할 때, 두 개의 세대를 동일 면적으로 나누어 대칭형으로 공간 계획을 하는 경우도 볼 수 있다. 최근 들어 임대소득을 극대화할 수 있는 3세대 세대분리형도 계획되고 있다.

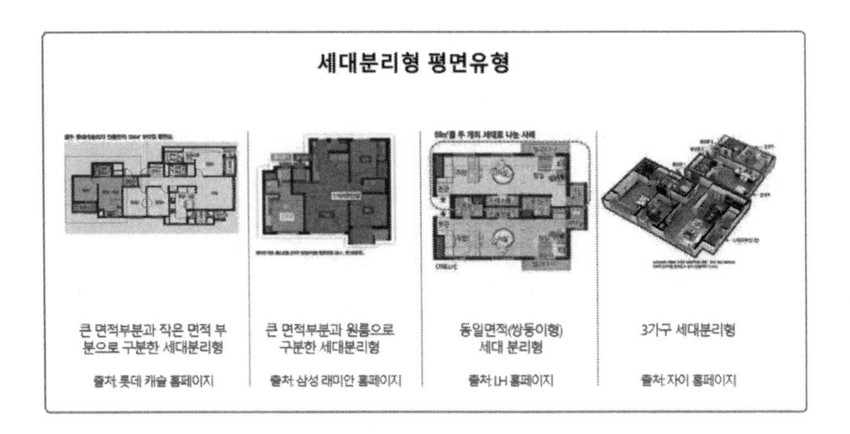

본 연구에서는 세대분리형 구조를 다음의 4가지 유형으로 구분하여 선호를 조사하였다. 첫번째, 2세대 차등면적은 큰 면적과 작은 면적으로 나누고 현관을 따로 두는 형태이다. 두번째, 2세대 동일면적은 동일한 면적으로 나누어 2세대가 사용하게 계획한 형태로 현관은 따로 둔다. 세번째, 2세대 부분 공유형은 침실과 욕실은 세대별로 독립시키고 거실과 부엌은 공유하며 현관은 따로 설치한다. 네번째, 3세대 분리형으로 큰 면적 1세대와 작은 면적 2세대로 나누는 형태이다. 이러한 4가지 세대분리형에 대한 선호를 조사하였다.

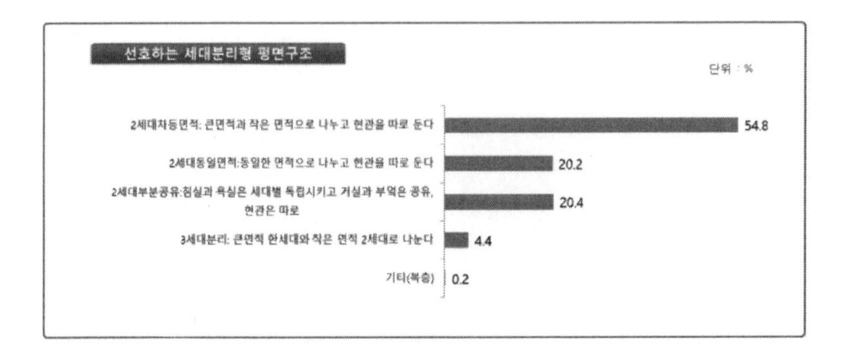

세대분리형으로 가장 선호하는 평면구조는 면적에 차이를 두어 큰 면적과 작은 면적으로 배분하는 형태(54.8%)인 것으로 나타났다. 두 세대를 동일한 면적으로 배분하는 형태와 세대 간에 내부의 문을 통해 왕래하고 부엌, 거실을 함께 사용할 수 있는 부분공유형의 계획에 대해서도 각각 20% 가 선택하였다. 가장 많이 선택한 유형은 부분 임대형의 전형적인 평면구조인 거주세대와 임차세대의 규모에 차이를 두는 형태지만 그밖에 두 세대 동일면적과 생활공간을 부분적으로 공유할 수 형태에 대해서도 수요자의 요구가 있음이 드러났다.

<참고> 세대 분리형 아파트의 규모

- 세대분리형 아파트의 임대부분이 되는 작은 규모 세대는 '1인 최소 주거면적(주택법 제 5조의 2: 2011년 5월 개정)'을 기준으로 규모를 산정 최소 주거 기준에 따르면 1인 최소주거면적은 14m², 2인 가구의 최소주거면적은 26m², 4인 가구의 최소주거면적은 43m²임
- 2000년 입주한 휘경주공아파트는 임차가구의 경우 30.68m²와 발코니 공간이 제공되었으며, 청학주공의 경우는 32.2m²와 37.73 m²로 설계됨
- 2011년 5월 '부분 임대가 가능한 주택에 대한 사업계획승인 지침' 발표이후의 '도안 우미린'이 부분임대형은 발코니 확장 후 총 22.02m², '흑석 동부센트레빌 I'은 임차가구의 면적이 총 26.20m² 으로 2000년 입주세대보다 면적이 줄어듬
- 2012년 국토 해양부 지침에서 세대분리형 주택 규모 85m² 기준 규정이 없어짐에 따라 임대부분의 면적이 전반적으로축소될 것으로 보임

사용 목적에 따른 세대분리형 평면구조

세대분리형 아파트를 활용하려는 목적에 따라 선호하는 평면구조에는 차이가 있었다. 전반적으로 공간 면적에 차이를 두어 2세대로 나누는 세대분리형을 가장 선호하지만, 세대분리형 아파트를 선택하는 이유에 따라 동일면적과 부분공유 공간형에 대한 선호가 나타났다.

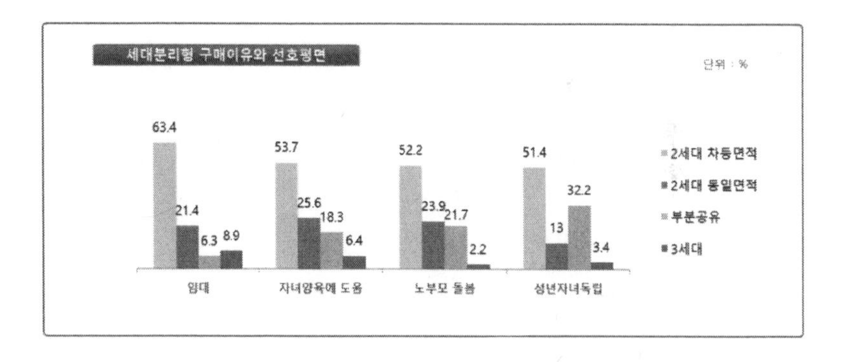

세대분리형 아파트를 선택하는 이유와 세대분리형 면적분할 계획은 관계가 있는 것으로 분석되었다. 차이는 있지만 모든 이유에서 공간 면적에 차이를 두어 나누는 세대분리형을 가장 원하였다. 임대소득을 원하는 경우 공간 면적에 차이를 두는 2세대 차등 면적형을 가장 선호 세대분리형을 가장 원했고(63.4%), 21.4%는 2세대를 동일하게 면적 배분하는 형태를 선택하였으며 3세대형 선호도 보여진다. 맞벌이 등의 이유로 어린 자녀를 부모님께 맡겨야

하는 경우와 노부모를 돌보기 위해 가까이 살기를 원하는 경우, 공간 면적에 차이를 두어 나누는 세대분리형을 가장 선호했으나(각각 53.2%, 52.2%) 2세대의 공간면적을 동일하게 나누는 형태(각각 25.6%, 23.9%)의 선호가 비교적 높았다. 성년이 된 자녀에게 독립된 공간을 제공하기 위한 이유로 세대분리형을 선택한 경우는 부엌, 식당을 공유하는 부분 공유형태의 선택비율이 높았다. 부분 공유형 선호는 임대를 위한 경우보다 가족간에 도움을 주고받으면서 적절한 독립성이 필요한 경우 높아짐을 알 수 있으며 특히 성년자녀에게 독립된 공간을 제공하면서 일정부분 돌봐주려는 의도로 보인다.

이와 같은 결과로 볼 때 가장 선호하는 세대분리형은 공간 면적에 차이를 두어 나누는 형태이지만, 세대분리형 아파트를 선택하는 이유와 생활여건에 따라 적합한 평면구조에 대한 요구가 있으므로 다양한 평면구조를 검토할 필요가 있다.

다양화되어야 하는 세대분리형 아파트

세대분리형 아파트는 소유자에게 임대소득을 제공해줄 수 있고, 임대수요자에게는 양호한 거주환경과 함께 안정된 주거공간을 제공해 준다는 점에서 공급가치가 충분한 형태라 할 수 있다. 또한 변화하는 가족구조와 가족형태, 그리고 가족의 생활행태에 적절히 적용할 수 있는 평면계획안이라 할 수 있다.

단위 : %

고려이유	수요계층 특성	공간구조(20% 이상 응답)
임대소득	연령 30대/60대 이상	차등면적(63.4) 동일면적(21.4)
	가족수 1-2인, 5인이상 가구	
	1인가구	
	20평 이하	
성년자녀 독립	연령 40대 이상	차등면적(51.4) 공동동간 공유(32.2)
	가족수 3-4인	
	부부+자녀 가족	
	20평 이상	
노부모 돌봄	연령 30,40대	차등면적(52.2) 동일면적(23.9) 공동공간 공유(21.7)
	가족수 1-3인	
	3대 가족	
	20-40평	
어린자녀 양육/손자녀 돌봄	30대	차등면적(53.7) 동일면적(25.6)
	가족수 5인 이상	
	3대 가족	
	40평 이상	

세대분리형 아파트를 선택하는 이유에 따라 공간계획에 차이가 있었으므로 세대분리형 아파트를 선택하는 이유와 생활여건에 따라 그에 맞는 세대분리형 평면을 다변화하여 개발할 필요가 있다. 공간 면적에 차이를 두어 나누는 세대분리형을 가장 선호하지만 그 밖의 형태에 대해서도 세대분리형 아파트를 선택하는 이유와 생활여건에 따라 다양한 평면에 대한 요구가 파악되었다. 즉, 임대소득을 원하는 경우 면적이 소규모일 경우 2세대의 공간면적을 동일하게 나누는 형태, 맞벌이인 경우와 노부모와 가까이 살기를 원하는 경우는 2세대의 공간면적을 동일하게 나누는 형태, 성

년이 된 자녀에게 독립된 공간을 제공하기 위해서는 부엌, 식당을 공유하는 부분 공유형의 계획도 검토하여야 할 것이다. 수요자 요구에 맞추어 다양화된 평면은 선택의 폭을 넓히며 보다 많은 소비자에게 만족을 줄 수 있다.

또한 변화하는 생활주기와 가족의 공간요구에 대응하기 위해서는 공간면적배분과 연결성에 가변적 요소 도입이 필요하다. 가변형 벽체, 세대간 연결 문 등 가변적 요소를 도입하면 평면구조를 변화시킬 수 있고 거주자의 요구에 맞춤형으로 대응할 수 있다.

집필자: 김수경

9

따로 또 같이 사는 집

제9장 따로 또 같이 사는 집

쉐어하우스는 방은 따로 쓰면서 주방과 거실 등을 입주자들이 공유하는 형태이다. 따라서 입주자들이 취사 및 휴식공간 등을 공동으로 사용하여 주거공간을 보다 효율적으로 활용할 수 있다. 상대적으로 저렴한 임대료와 공동구매 및 공동소비에 따른 생활비의 절감, 정보의 교류, 대인관계에서 오는 정서적 친밀감이나 안정감을 얻을 수 있다는 장점이 있는 반면 사생활을 보호받기 어렵고 공간의 공동사용에서 오는 불편함이 있을 수 있다.

우리나라 쉐어하우스 현황

우리나라의 쉐어하우스 형태는 개인형, 기업형, 공공형, 조합형, 세대융합형 등으로 분류된다.

개인형은 개인이 소유한 아파트나 주택을 활용하여 쉐어하우스로 운영하는 형태를 말하며, 약간의 개조를 통해 큰 투자금 없이 임대수익을 얻을 수 있는 형으로 과거의 셋방과 같은 개념이다. 임차인들끼리 거주하는 경우가 대부분이다.

기업형은 쉐어하우스 운영업체가 큰 규모의 단독형 주택이나 건물을 매입 또는 임대하여 여러 사람이 거주할 수 있도록 개조한 후 임대하는 방식이다. 개인형에 비해 규모가 크므로 공동공간이나 편의시설을 보다 많이 확보할 수 있다는 것이 장점이며, 국내에서는 체인점 형태로 운영하는 업제가 생겨나며 확장되는 추세이다. '우주', '바다', '가좌 330' 등이 있다. 부동산 114는 2015년 4월 기준으로 쉐어하우스 운영 전문업체가 전국적으로 30여곳이 있으며 개인 사업자까지 포함해 쉐어하우스 규모는 2,000여실에 이르는 것으로 추정했다.

공공형은 시나 자치단체 등 공공단체에서 운영하는 형태로, 서울시에서 계획하는 '두레주택'이 대표적이다. 임대료가 저렴한 장점이 있으나 무주택자와 소득수준이 낮은 사람에게 제공하는 등의 입주조건이 맞아야 거주가 가능하다.

조합형은 조합원들이 자발적으로 출자한 자금을 바탕으로 운영하는 형태이다. 청년 주거문제 해결을 위한 '민달팽이집', '함께주택', '구름정원 사람들','소통이 있어 행복한 집'이 조합형에 해당된다.

세대융합형은 시나 지역 자치단체 등 지역의 공공단체가 지역 내 거주 노인과 대학생을 연계해주는 형태를 말한다. 대학생들은 저렴한 임대료로 생활하고 노인들은 외로움을 해소할 수 있다는 이점이 있다. 서울시의 '한지붕 세대공감 사업'이 대표적이다.

쉐어하우스에 살아볼까?

쉐어하우스에 거주할 의사가 있는지에 대해 조사 대상자의 19.4%가 쉐어하우스에 거주할 의사가 있다고 응답하였다.

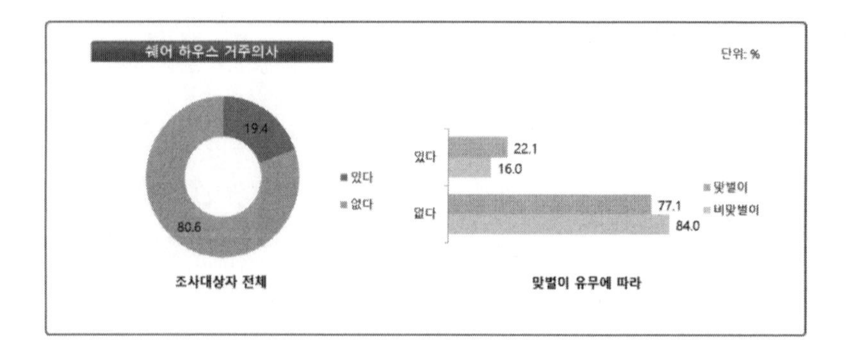

쉐어하우스 거주할 의사가 있는지는 맞벌이 여부, 주택규모에서 차이를 보였는데, 맞벌이를 하는 경우와 20-40평 미만에 거주하는 경우 쉐어하우스 거주에 대해 더 긍정적으로 생각하였다. 그밖에 다른 특성에 따른 차이는 크게 나타나지 않았다.

단위: %

구분		전체 조사대상(N=916)	거주의사 있는 경우(N=174)
성별	남	263(28.7)	54(30.3)
	여	653(71.3)	124(69.7)
연령	30대	256(27.9)	47(26.4)
	40대	254(27.7)	46(25.8)
	50대	252(27.5)	55(30.9)
	60대 이상	154(16.8)	30(16.9)
가족형태	1인 가구	37(4.0)	7(3.9)
	부부	109(11.9)	12(6.7)
	부부+자녀	635(69.8)	134(75.3)
	부모+부부+자녀	90(9.3)	16(9.0)
	싱글복합가족	45(4.9)	9(5.1)
맞벌이 여부	맞벌이	348(43.9)	77(52)
	비맞벌이	444(56.1)	71(48)
주택규모	20평 미만	123(13.4)	16(9.0)
	20-40평 미만	676(73.8)	145(81.5)
	40평이상	117(12.8)	17(9.5)

쉐어하우스는 주로 1인 가구가 경제적인 비용으로 일정기간 머물 수 있는 주거형태로 활용하고 있는 실정이어서 전체적으로 볼 때 거주의사가 높게 나타나지는 않았다. 특히 기업형 쉐어하우스는 미혼 1인가구 연령대 20-35세 등으로 입주대상을 제한하는 경우가 많기 때문에 그 외의 연령대는 입주가 쉽지 않다.

국내 쉐어하우스 몇 곳의 입주자격과 비용을 살펴보면 다음과 같다.

'로프티하우스(옛 마이바움 연희)'는 2011년 지어져 국내 1호 기업형 쉐어하우스로 꼽히며 임대료는 계약기간 1년기준으로 보증금 1천만원 월세 50~60만원선이고 공동관리비 월5만원 가량 별도로 지불한다.

'우주(WOOZOO)'는 소셜 벤처기업 프로젝트 '옥'에서 운영하는 쉐어하우스인데, 최소 임대계약 기간은 6개월 이상이고 월 임대료는 35~65만원이며, 두 달치 월세가 보증금이다. 입주를 원할 경우 인터뷰 통해 공동체 생활에 적합한지 확인한다. 정기적으로 파티나 세미나 개최 등 공동활동이 있다.

'함께 꿈꾸는 마을'은 월 사용료가 1인실은 50만원대, 2인실은 40만원대, 3~4인실은 30만원대 책정되어 있으며, 보증금은 월 사용료 2개월분이다.

'달팽이 집'은 청년 주거권 보장을 위해 설립한 사회단체인 민달팽이 유니온이 주택 협동조합을 통해 마련한 주택이다. 정부나 지자체의 지원으로 주거지원을 발굴해 조합원에게 우선 입주할 권리를 주는 방식으로 운용되고 있다.

공공임대주택 쉐어하우스로는 서울시에서 시행하는 두레주택이 대표적이다. 서울에 거주하는 무주택자가 입주 대상이고, 보증금은 1,000만원 내외~2,500만원에 월 임대료 10만원 정도이다.

계약기간은 2년이며 최대 10년까지 연장 가능하다.

> **전대(재임대)형태의 쉐어 하우스일 경우, 임대차 계약시 유의점은?**
>
> 쉐어하우스는 도입 초기 단계인 만큼 제도적 허술한 부분이 많아 정식 사업자 등록을 한 전문업체를 통하는 것이 안전하고 임대차 계약상 대부분 전대방식으로 이루어지고 있다는 점 유의해야 한다.
> 쉐어하우스 전문업체들이 신축 건물을 짓기보다는 주로 기존 다가구나 아파트를 빌려 운용하고 있는 실정, 집을 통째로 빌려 리모델링한 뒤 재임대 하는 것이므로 전대 방식 임대차계약시 집주인 사전 동의 반드시 받아야하며 전대차 동의를 받지 않은 경우 전차권 주장할 수 없다. 집주인의 동의는 전대차 계약서 특약사항에 기재하거나 별도로 임대인의 전대사용 동의서를 받는 방법으로 해결해야 한다.

경제적 이유 VS 정서적 이유

쉐어하우스에 거주하게 되는 주된 이유는 사회적 교류(39%)를 위한 것과 경제적 이유(31.6%)인 것으로 나타났다. 주거공간의 일부를 공동으로 사용함으로써 주거비용을 줄이는 경제적 효과를 얻을 수 있고, 1인 가구로 살면서도 주거 내에서 타인과 사회적 교류하는 등 정서적인 이유에서 쉐어하우스를 선택할 가능성이 커진다는 의미이다. 그 외에 기타 이유로는 주변 환경의 활용 등 같은 비용으로 얻을 수 있는 환경조건이 좋아진다는 점을 들고 있다.

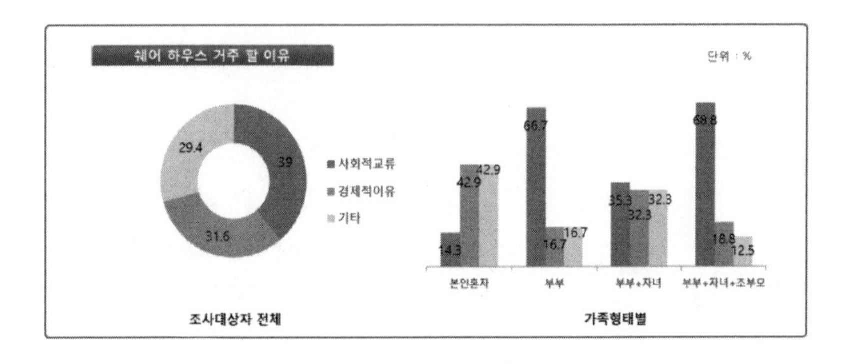

그러나 좀 더 자세히 살펴보면, 가족형태에 따라서는 큰 차이를 보이고 있음을 알 수 있다. 현재 혼자 사는 1인 가구는 사회적 교류의 필요성(14.3%) 보다는 경제적 이유(42.9%)와 기타 이유에 의해 쉐어하우스를 선택할 것이라고 응답했으며, 부부 가족이나 3대 가족의 경우, 정서적 이유에서 쉐어하우스를 선택할 것이라고 응답하였다. 지금의 쉐어하우스는 주로 1인 가구가 경제적인 비용으로 일정기간 머물 수 있는 주거형태로 활용하고 있으나, 부부가족이나 3대 가족의 경우 구성원들간의 정서적 사회적 교류를 쉐어하우스 선택의 중요한 이유로 생각하고 있었다.

청년 1인 가구를 위한 쉐어하우스를 넘어

최근 임대하고 있는 쉐어하우스 중에는 20-35세 미혼이면서 1

인 가구, 다시 말해 청년 1인 가구를 입주대상으로 제한하는 경우가 많다. 입주하는 대상을 청년층으로 제한하는 이유는 쉐어하우스 입주를 원하는 사람 중 원룸, 기숙사, 어학연수 등 공동생활 경험이 있으며 합리적이고 심플한 삶을 추구하는 청년들이 많아 쉐어하우스의 장점을 인지하고 있으므로, 생활의 공감대를 형성하기 쉽고 지속적인 수요층을 이룰 것으로 예상되기 때문이다.

또한 청년층은 경제력도 부족해 집을 사거나 전세를 얻기도 어려워 이들을 위한 합리적인 비용의 주거공간이 절실하기 때문이다. '우주', '바다', '가좌 330'등이 청년 1인 가구를 입주대상으로 하고 있다.

서울시에 27개 지점이 있는 사회적 기업 '우주'의 경우 청년층 고시원 탈출 프로젝트로 2012년 쉐어하우스 개념을 도입하면서 애초에 설립목적의 대상을 청년층으로 맞추었다. 대형 평수의 집을 임대해 개조한 뒤 젊은 층에게 보증금 부담 없이 집을 빌려주는 방식으로 운영되고 있다.[1]

우주는 현재 서울 시내 총 27개 지점을 보유하고 있으며 160여명이 거주하고 있다. 입주자들이 공감대를 형성하고 취미를 공유할 수 있도록 '지점별 콘셉트'를 정했고, 영화·요리·캠핑 등 각 지점마다 콘셉트에 따른 인테리어를 적용하여 호응을 얻고 있다. 인기있는 지점의 경우 항상 대기인원이 있을 정도로 수요에 비해 공급이 부족한 상황이라고 알려져 있다.

청년 1인 가구를 위한 테마형 쉐어하우스 사례

출처: 뉴스토마토, 2015.9.21. 각각의 테마로 꾸며진 쉐어 하우스(우주), 사진: 바람아시아

최근 들어 쉐어하우스의 장점이 부각되고 그에 대한 인식이 높아지면서 청년 1인 가구 외에도 문화와 취미, 관심을 공유하고 싶어하는 1인 가구나 한 부모 가정 등을 중심으로 쉐어하우스 거주 요구가 높아지고 있다.

이와 같은 요구에 부응해 부산시의 경우 취미, 직업, 연령 등을 고려한 다양한 형태의 맞춤형 쉐어하우스를 공급할 계획을 추진하고 있으며, 육아를 위한 집, 미술가를 위한 집, 독신자나 독거노인을 위한 집 등 다양한 형태의 '임대형 쉐어하우스'(Share House)를 계획하고 단계적으로 실행해 나가기로 했다.[2]

우리나라의 쉐어하우스 역사는 매우 짧으며, 아직 도입 초기여서 쉐어하우스의 장점에 대해 인식하고 지속적인 수요가 있는 청년 1인 가구 중심으로 운영되고 있지만, 주거비 상승과 임대수요의 증가, 노인 1인 가구의 증가, 한부모 가족의 정서적 지원, 공동

육아와 세대간 공감대 형성이 필요해짐에 따라 쉐어하우스 거주에 대한 다양한 계층의 요구도 커지고 있다.

따라서 청년 1인 가구를 위한 쉐어하우스를 넘어 다양한 연령과 계층의 요구에 맞는 쉐어하우스의 계획이 필요하다.

노년기의 주거 대안 쉐어하우스

어떤 경우 쉐어하우스에 거주하는 것이 좋은지 하는 물음에 대해 노후에 노부부 또는 혼자 살게 되는 경우가 59.6%로 가장 높았고 그 다음으로 학업, 직장 등의 이유로 혼자 집을 구해야 하는 경우(23.6%), 자녀의 사회성 발달을 위해 같은 또래의 가족과 함께 거주(16.9%) 순으로 나타났다. 노년에 부부, 또는 혼자 살 경우 쉐어하우스를 필요로 하는 것은 정서적 교류를 원하며 가족 같은 공동체성을 추구하기 때문일 것이다. 기업형 쉐어하우스는 주로 청년 1인 가구를 위해 개발되고 운영되고 있는 것이 현실이나 쉐어하우스의 기능과 장점을 활용한다면 노부부 및 노인 1인 가구로 살 경우 노년기 주거와 생활문제의 대안이 될 수 있다.

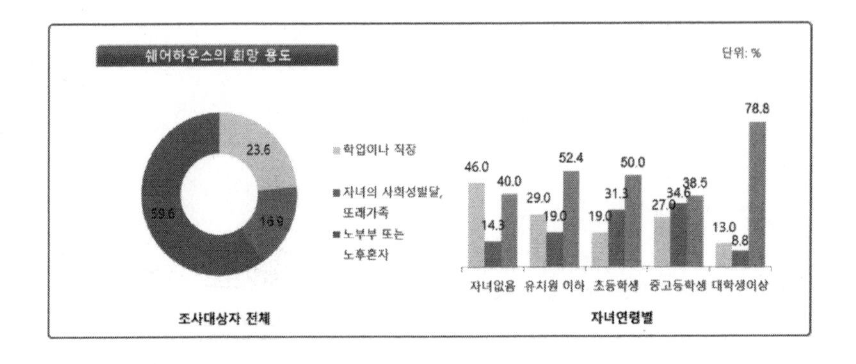

염혜실과 권오정의 연구에서도 노후 주거로서 시니어 쉐어하우스의 거주의사(74.3)가 노인 전용복지시설 거주의사(31.7%)보다 높게 나타나 양로원과 같은 노인보호시설 보다는 두 명 이상의 비혈연 1인 노인가구가 단위 주호를 구성하는 주거 형태를 더 선호한다는 사실을 알 수 있다.[3]

이 논문에서는 시니어 쉐어하우스의 장점으로 첫째 현재 집이 있는 노인 1인 가구가 기존주택을 시니어 쉐어하우스로 활용한다면 임대수익과 함께 자신의 집에 계속 거주할 수 있고, 둘째 집이 없는 노인에게 적절한 비용으로 쾌적한 주거를 제공할 수 있으며, 세째 공동생활을 하면서 서로 도우며 의지가 될 수 있으며, 네째 시설주거를 꺼리는 노인의 스트레스를 줄일 수 있고, 고령자 복지 예산에 인적 물적 자원을 절감할 수 있음을 언급하였다. 한편 시니어 쉐어 하우스는 노인들끼리 거주하게 되므로 무엇보다도 적절한 서비스 제공과 관리가 필요한데 그 운영은 정부와 지자체 및 종교단체가 맡기를 바라는 것으로 나타났다.

본 조사결과에서도 쉐어하우스를 노후의 주거 대안으로 희망하였으며, 그 가능성에 대해 긍정적인 논의가 이루어지고 있으므로 노년기를 위한 맞춤형 쉐어하우스의 개발이 요구되는 시점이다.

서울시는 금천구 시흥동에 '노인 독거가구 전용' 두레주택을 계획하고 구내 거주중인 만 65세 이상 독거노인을 대상으로 입주자를 모집하였다. 2013년 서울 도봉구 방학동에 선보인 1호 두레주택에 이은 것으로 노인전용으로 특화된 쉐어하우스형 공동 임대주택이라는데 의의가 크다. 시흥동의 두레주택이 들어서는 건물은 지상4층, 연면적 621.27㎡이며 거주공간은 3~4층에 하고 1~2층은 경로당으로 활용될 것이라고 밝혔다.

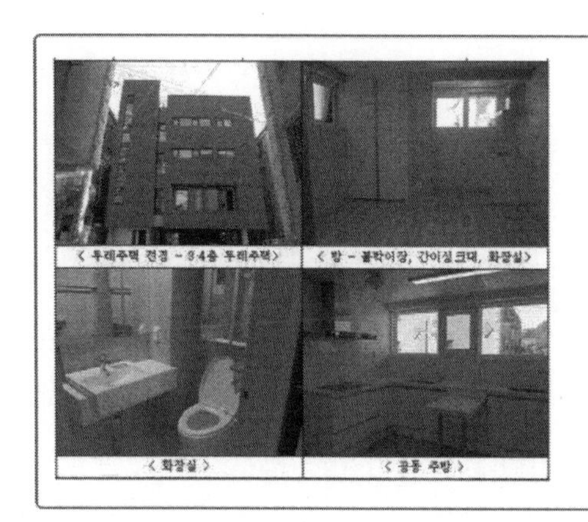

금천구 시흥3동 노인독거가구 전용 두레주택:

총 지상 4층, 연면적 621.27㎡으로 두레주택은 3~4층에 위치.1~2층은 경로당으로 활용 예정

각 층당 방 5실(1실 당 17.48㎡~18.63㎡), 공동거실(43.29㎡), 공동주방(12.94㎡)으로 구성되며 각 방에는 붙박이장, 간이싱크대, 화장실이 있어 사생활 공간이 충분히 구분돼있음

임대료는 주변시세의 30% 내외로 보증금 900만~1000만원, 월임대료 10만원 수준. 입주 자격을 유지하는 경우 최장 10년까지 거주할 수 있다. 2년마다 재계약을 해야 함

<출처> 서울시 홈페이지

이와 같이 공공부분에서 노인전용 쉐어하우스 설립이 이루어져 노인복지 주택정책의 사례로 평가 받고 있다. 공공부분 외에도 쉐어형 임대주택은 노년 부부가족이나 노인 1인가구를 위한 주거로서의 요구도 높아 노년기를 위한 합리적인 주거 대안의 가능성이 크다. 연령과 소득수준, 생활양식 등을 고려한 다양하고 특화된 쉐어 하우스가 계획된다면 노인 가구 주거선택의 폭을 넓힐 수 있고, 노후 주거문제 해결에 도움을 줄 수 있을 것이다

따로 또 같이를 꿈꾸는 사람들

쉐어하우스에 살기를 희망하는 경우를 묻는 물음에 대해 남성은 노후에 노부부 또는 혼자 살 때(46.3%), 자녀의 사회성 발달을 위해 또는 같은 또래의 가족끼리(31.5%), 학업, 직장 등의 이유로 혼자 집을 구해야 하는 경우(22.2%)의 순으로 응답하였고, 여성은 노후에 노부부 또는 혼자 살게 될 때(65.3%), 학업, 직장 등의 이유로 혼자 집을 구해야 하는 경우(24.2%), 자녀의 사회성 발달을 위해 또는 같은 또래의 가족끼리(10.5%)의 순으로 선호하였다. 여성은 노후에 노부부 또는 혼자 살게 되는 경우 쉐어하우스에 살고 싶다고 응답한 경우가 65.3%로 남성의 46.3% 보다 훨씬 많았으며, 반면 가족단위 쉐어하우스 거주에 대해서는 10.5%만이

희망하여 남성의 31.5%와 큰 차이를 보였다. 이에 대한 연령별 차이를 보면 30대는 학업과 직장을 이유(46.3%)로 가장 희망한다고 응답했고, 노후에 노부부 또는 혼자 살게 되는 경우에 대해 40-50대는 63%가 60대 이상은 86.7%가 선택함으로써 연령이 증가할수록 노년기 주택으로서 쉐어하우스에 대한 희망과 기대감이 더 커짐을 알 수 있다.

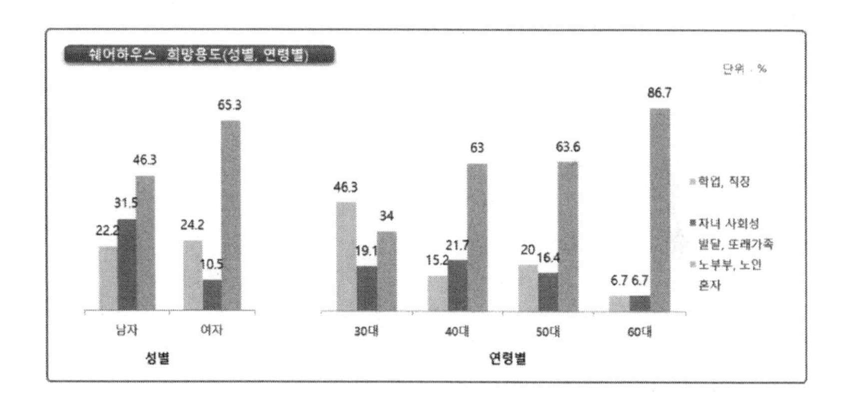

연령과 성별을 조합하여 쉐어하우스를 희망하는 정도를 보면 30대는 학업이나 직장을 이유로, 40대 남성은 자녀 사회성 발달이나 또래가족과의 교류를 위해(50.0%) 쉐어하우스를 희망하는 것으로 나타나, 40대 여성과 50대, 60대 이상의 연령대가 노부부나 노인 혼자일 경우 쉐어 하우스 거주가 좋다고 응답과는 큰 차이를 보여주었다.

특히 학령기 자녀를 둔 남성의 경우 자녀 사회성 발달을 위해 또래가족과 쉐어하우스 거주에 여성보다 긍정적이며, 여성은 노부부나 노인 혼자 살게 될 경우 쉐어하우스 거주에 대해 남성보다 훨씬 더 희망하는 것으로 특히 40~50대 중년에서 그 차이가 크게 나타남을 알 수 있다.

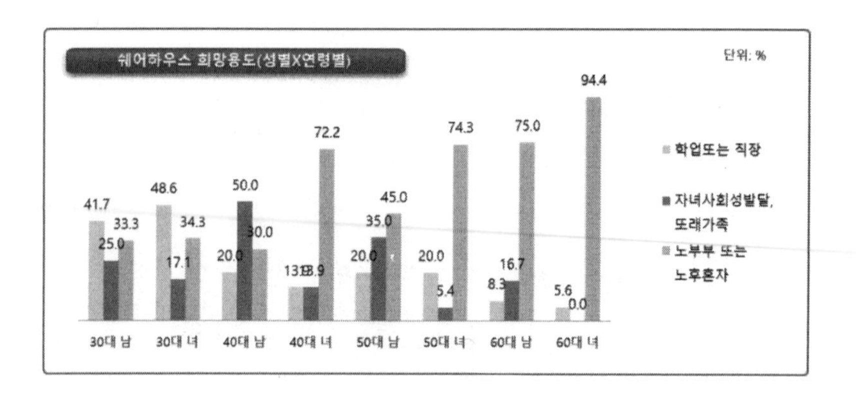

그밖에 쉐어하우스에 거주하기를 희망하는 경우에 대해 가족형태별, 자녀연령별, 주택소유형태별 차이가 나타났다.

가족형태에 따라 쉐어하우스 선택의 목적이 달라질 수 있는데, 1인 가구는 경제적인 이유, 학업이나 직장 등의 이유로 선택하는 데 비해, 가족단위 가구는 경제적 이유 외에 자녀의 보육이나 양육을 목적으로 쉐어하우스를 선택하는 것으로 나타났다. 자녀연령별 쉐어하우스의 필요성에 대해 자녀가 학령기일 경우 '자녀의 사회성 발달 및 또래 가족과의 교류를 위해'라는 응답이 두드러지고 자녀 연령 대학생 이상인 경우는 노년기에 필요하다고 응답하였다. 자가인 경우 임대인 경우보다 학업이나 직장 이유인 경우는 적고, 노후에 노부부 또는 혼자 살기 위해 쉐어하우스를 희망한다는 응답이 많았다.

거주자에 따라 특화되어야 하는 쉐어하우스

쉐어하우스에 살기 위해서는 물리적 공유뿐 아니라 방(개인)과 거실(공동체)을 연계해주는 가족 같은 연대감도 필요하다. 대상에 따라 쉐어하우스를 선택하는 목적이 다르므로 공간에서 어떻게 연대감이나 공동체성을 만들어내고 어느 정도로 조절할 것인지 결정하고 계획에 반영하는 것이 중요하다.

연령과 성별에 따라 쉐어하우스 거주 목적에 큰 차이를 보였다. 다양하고 건강한 공동체 공간을 만들기 위해서는 1인가구, 미혼, 20대와 30대 초반 연령대 중심의 계획에서 다양한 연령대, 가족형태를 위한 계획으로 확산되어야 할 필요가 있으며 특히 노년세대를 위한 맞춤형 셰어 하우스 계획이 반드시 필요하다. 또한 서울시의 '노인전용 쉐어하우스'와 더불어 이루어지는 '한지붕 세대공감 사업'은 거주 노인과 대학생을 연계해주는 세대간 쉐어 방식으로 쉐어하우스를 통해 세대간 융합이 이루어질 수 있음을 보여주는 좋은 사례가 되고 있다.

향후 쉐어하우스 계획은 다양한 계층의 수요자 요구에 맞는 맞춤형으로 이루어져야 할 것이다. 쉐어하우스는 소규모 세대와 단위, 저비용으로 계획되는 경우가 대부분으로 거주목적과 대상에 따라 다양한 맞춤형 계획안을 제시되어야 할 것이다.

또한 이제까지 1인 가구 위주로 계획되었던 쉐어하우스에서 개념을 확장하여 발전시킬 필요가 있다.'소통이 있어 행복한 집', 하우징쿱 협동조합의 '구름정원 사람들', SH공사의 '가양동과 만리동의 협동조합형 공공 임대주택'처럼 가족단위 쉐어하우스의 계획은 쉐어하우스 다양화와 확산에 기여할 것으로 기대된다.

집필자: 김수경

10

함께 지어 더불어 사는 집

제10장 함께 지어 더불어 사는 집

경제개발과 산업화의 과정에서 인구의 대도시 집중 및 그에 따른 주택의 수급 불균형 현상은 수십 여 년이 지난 최근까지도 커다란 사회 문제로 지속되고 있다.

도시에서 살고 있는 가족들은 저마다 전세나 월셋집에서 벗어나 제대로 된 내 집 한 칸을 마련하는 것이 일생에서 성취해야 할 가장 중요한 과업 중의 하나였다.

한편, 도시가 새롭게 재정비되고 곳곳마다 개발 붐이 일어 날 때마다 주택 및 토지 가격이 평균 물가 상승률보다 월등히 높게 뛰어 오르면서, 주택이 자산을 형성하고 확장 시키는 중요한 지렛대의 역할을 톡톡히 담당하기도 하였다.

그러나 50년 여 년이 지난 현재 사회의 제반 상황은 예전과는 매우 다른 양상으로 바뀌어가고 있다. 저성장, 저금리 기조가 지속되는 상황에서 청년 실업률, 초혼 연령 증가 및 출산율 저하, 고령화 현상 등으로 1~2 인 가구가 꾸준히 늘어나고 있고, 게다가 서구화된 생활양식과 가치관의 급격한 변화는 주택시장에 있어서 수요와 공급에 새로운 패러다임을 등장시키게 되었다.

주요한 자산으로서 '소유'의 대상으로 인식되어 오던 주택이 언제부터인가 차츰 본래적인 기능으로서 '거주' 혹은 '삶을 담는 그릇'으로서의 의미를 서서히 되찾아 가고 있으며, 임대 시장에서도 반세기 이상 지속되었던 전세제도가 점차 월세로 전환되어 가는 과도기에 이르게 되었다. 또한 최근 들어서는 주택에 대한 수요자들의 요구(needs)에도 변화가 나타나고 있다.

특히 아파트나 다세대 주택과 같은 공동주택을 마련할 경우, 공급자(공공 주택기관, 건설 및 개발업자 등)가 경제성과 수익성을 위주로 일방적으로 설계하고 분양한 획일화된 유형의 주택을 소비자들은 단지 수동적인 입장에서 선택해야 했다면, 이제는 실수요자 스스로 비슷한 목적과 요구조건을 가진 사람들을 모으고 함께 어울려 자신들의 여건에 가장 부합하는 맞춤형 주택을 마련하려고 하는 경향이 점차 늘어나고 있다.

이러한 소비자들의 주택에 대한 요구와 사회적 변화에 즈음하여, 우리나라에서도 새로운 형태의 대안주거로서 주택협동조합을 통한 공동체 주거인 "협동조합형 공유주택(함께 지어 더불어 사는 집)"이 등장하여 주택 실수요자들의 관심을 끌고 있다.

협동조합형 공유주택이란?

'협동조합'이란 재화 또는 용역의 구매, 생산, 판매, 제공 등을 협동으로 영위함으로써 조합원의 권익을 향상 시키고 지역사회에 공헌하는 사업 조직이다.[1]

이와 관련하여 '협동조합주택'이란 국제협동조합연맹이 정한 협동조합 7대 원칙을 준수하는 주택협동조합이 소비자 조합원을 위해 공급하거나 개발하는 주택을 말한다.

여기서 주택협동조합은 주택의 개발시행과 건설을 통해 조합원들에게 양질의 주택을 저렴하게 공급하는 목적의 '주택건축 협동조합'과, 건설 뿐 아니라 주택 입주 후 유지, 보수, 관리까지 확장하여 역할을 담당하는 '주택 관리 협동조합'이 있다.[2] 우리나라의 경우 국내 최초의 협동 조합주택인 '은평구름정원 사람들 협동조합주택 (2013년)'이 전자의 유형에 속하고, '제주 오시리가름 협동조합주택'은 후자에 속한다.

한편 '공유주택'이란, 인근에 거주하는 비혈연적인 관계의 가구들이 거주자간에 소통과 교류를 원활하게 형성하고, 주거 비용을 절감하거나 소득을 창출하는 등의 목적으로 주택의 일부를 거주자들이 함께 공유하도록 계획된 공간 혹은 시설을 갖춘 주택을 의미한다. 이러한 주택 유형은 1968년 덴마크에서 처음 등장하였는데, 전문직 맞벌이 가족들이 공동육아와 공동

저녁식사를 통해 가사부담을 줄이고 커뮤니티를 통한 사회적 교류를 도모하기 위함이었다. 이후 덴마크를 비롯한 스웨덴, 독일, 프랑스, 벨기에 등의 유럽 여러 나라와 미국, 캐나다, 일본 등 여러 나라에 도입되어 현재 다양한 형태로 개발, 건설되었다.[3]
우리나라에서는 2015년 현재, '은평 구름정원사람들', '제주 오시리 가름주택', '성미산마을 소행주', '부산 일오집'을 비롯해 공공임대주택인 '가양동 이음채(공동육아)', '만리동 예술인 마을(예술인 공동체)'등이 있다.[4]

▲ 제주 오시리가름 협동조합주택

온평 구름정원 사람들 협동조합주택 ▶

(출처: blog.naver.com/lovelysong, 기노채의 아름터기 쉼터 블로그)

주택협동조합을 통한 공동체 주거로서의 공유주택이 갖는 장점은 우선, 조합원들 스스로 부지 선정에서부터 설계, 자재 선택, 시공 등 전체 건축 과정에 직·간접적으로 참여할 수 있기 때문에 각자의 경제적 여건에 적합한 저비용의 주택을 건축할 수 있다는 것과 각 조합원마다 가족 구성원의 특성 및 생활방식을 반영한 다양한 주거 공간을 구성 수 있다는 점이다. 또한, 입주 후에는 지속적으로 자발적, 민주적인 공동체 협의를 통한 주택 공동관리가 가능하고, 조합원들이 커뮤니티를 통해 희망하는 공동체 프로그램을 개발하거나 교육하고 활동 함으로써 주택 거주자(조합원)의 사회적, 정서적 요구를 공동으로 실현시킬 수 있는 특징이 있다.

실제로 30대~60대 남녀를 대상으로 향후 주택협동조합을 통해 주택을 소유하거나 임차하는 것에 대해 선호도 및 그 이유 등에 관한 의견을 조사한 결과, '불필요한 비용 절감을 위해서 (37.1%)', '조합원들 간의 친밀한 공동체 형성이 가능해서(34.9%)', '맞춤형 공간설계가 가능해서 (28%)' 순으로 원하는 것으로 나타났다.[5]

협동조합주택을 원하는 사람들

본 조사는 향후 주택협동조합을 통해 주택을 소유하거나 임차할 의향이 있는지 물음으로써 협동조합형 주택에 대한 일반인들의 관심과 선호도를 조사하였는데, 전체 조사자 916명 중 43.2%(396명)가 향후에 '주택협동조합'에 가입하여 집을 구입하거나 임차할 의향이 “있다”고 긍정적으로 응답하였다.

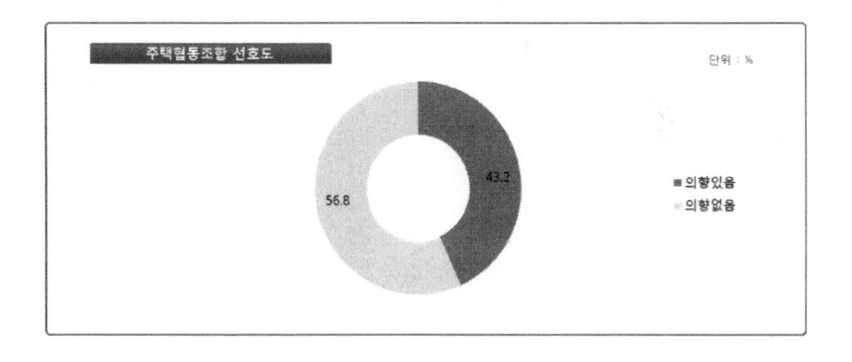

이러한 결과는 우리나라의 경우 아직까지 주택협동조합을 통한 주택 구입에 관한 사례나 구체적인 정보가 부족하고 공공의 정책적 지원 역시 미비한 상황임을 고려할 때, 앞으로 ‘협동조합주택’에 관련된 보다 실효성 있는 제도 및 일반인들이 실제로 활용 가능할 수 있는 다양한 정보와 교육 프로그램이 제공되어야 할 필요가 있음을 보여준다.

한편, 남자가 여자보다 그리고 맞벌이 가구가 비 맞벌이 가구보다 협동조합주택을 좀 더 선호하였는데, 이는 남성들과 맞벌이 가구의 사람들이 새로운 방식에 대한 관심과 정보 습득의 기회가 조금 더 많기 때문인 것으로 풀이된다.

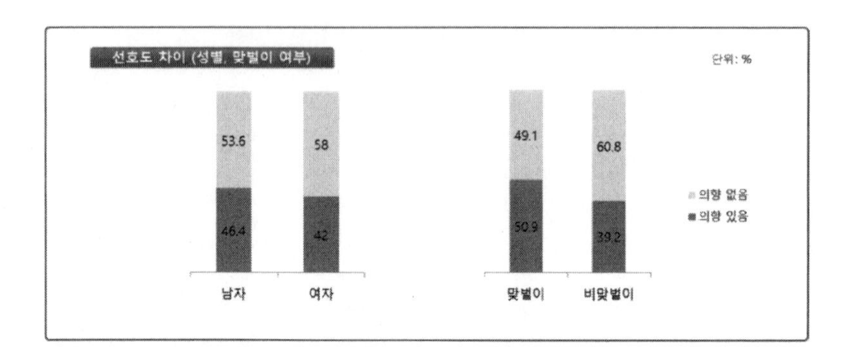

협동조합주택에서 사는 것은 부담스럽다?

향후 주택협동조합을 통해 주택을 소유하거나 임차할 의향이 '없다'고 응답한 사람들(560명)의 경우 그 이유가 무엇일까? 조사 결과, '조합원들 간의 교류와 간섭이 부담스러워서 (48.5%)', '전 과정에 직접 참여하는 것이 번거롭고 귀찮아서(26.2%)', '전문성 결여로 인한 설계 및 시공 불량, 사기 피해 등이 우려되어서 (19.0%)', '향후 매매 및 임대가 쉽지 않을까 봐(6.3%)'순으로 나타났다.

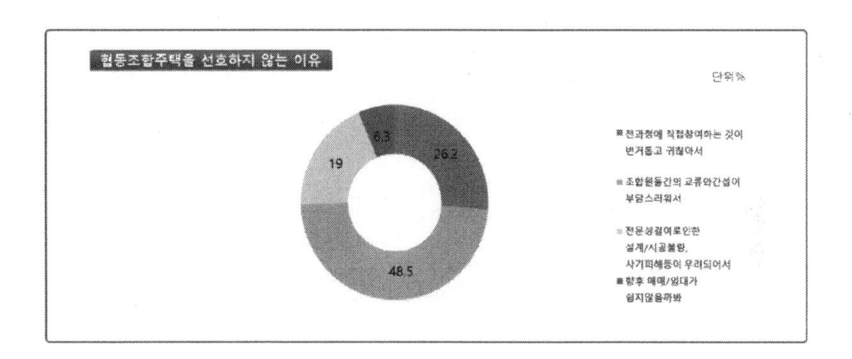

협동조합주택을 선호하지 않는 이유는 연령에 따라 다소 차이가 있었다.

전 연령층에서 모두 선호하지 않는 이유의 순서는 같았지만, 연령대별로 그 비율의 차이가 다소 나타났다.

전 연령대 모두 '조합원들간의 교류와 간섭이 부담스럽다'고 응답한 비율이 가장 높은 가운데, 특히 40대 남자의 경우와, 50대 60대 남자들이 많이 응답하였다. '전 과정에 직접 참여하는 것이 번거롭고 귀찮아서'라고 응답한 경우는 60대에서 좀 더 높았으며, '전문성 결여로 인한 설계 및 시공 불량, 사기 피해 등이 우려되어서'는 60대에서 다소 높고, 반면 40대에서 가장 낮게 나타났다. '향후 매매 및 임대가 쉽지 않을까 봐'는 40대에서 특히 높고 60대에서 가장 낮게 나타났다.

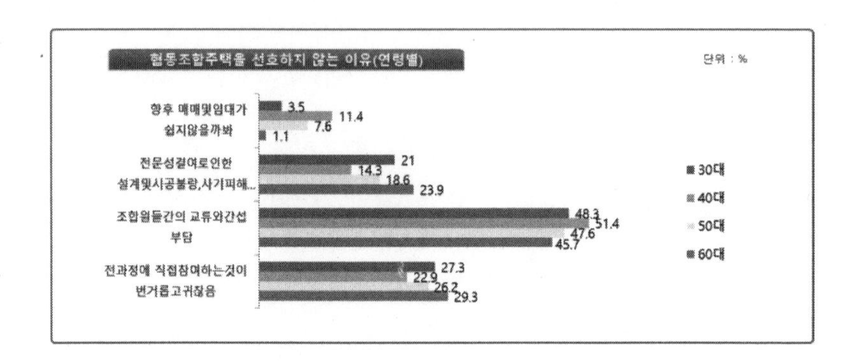

여기서 주택협동조합에 가입하여 주택을 구입하거나 임차할 의향이 '있다'고 응답한 사람들의 선호이유가 '친밀한 사람들과의 공동체 형성이 가능해서(34.9%)'로서 사회적 관계가 중요했다면, 의향이 '없다'고 응답한 경우에도 '조합원들간의 교류와 간섭이 부담스러워서(48.5%)'로서 협동조합주택 거주 의향 여부를 결정짓는 중요한 이유는 인간관계 및 사회적 교류에 따른 선호 정도에 있음을 알 수 있다.

즉, 향후 주택협동조합을 통해 주택을 마련하고 싶은가, 아닌가에 관한 선택과 결정 여부는 각 개인이 주택조합원의 일원이 되어 그들과 함께 주택이나 마을 공동체를 형성하고 입주 후에도 지속적으로 친밀한 사회적 교류를 원하는가에 관한 선호도와 태도가 크게 작용하는 것으로 보인다.

어떤 유형의 협동조합주택을 원하는가?

세계 여러 나라에서 볼 수 있는 협동조합주택의 유형은 조합원의 특성이나 조합주택의 운영 목적 등에 따라 여러 가지가 있다.

이와 관련하여 본 조사는 향후 가입하고 싶은 협동조합 주택 유형을 인간 · 사회적 관계성, 생활 방식의 유사성, 활동 목적성 등에 따라 여섯 가지 항목으로 분류하여 조사 하였다.

조사 결과, 선호하는 주요 유형으로는 '가족, 친구 등 친밀한 지인들끼리(29.5%)', '경제적, 문화적 생활 수준이 비슷한 사람들끼리(23%)', '공통의 취미나 특기가 같은 사람들끼리(21.7%)' 순으로 나타났다. 그 밖에 '연령대가 비슷한 또래 사람들끼리(12.4%)', '공동육아 및 자녀 교육관이 비슷한 사람들끼리(7.1%)', '경제 활동을 함께 할 사람들끼리(6.3%)' 등의 순으로 나타났다.

협동조합주택 유형	특 징
학생 협동조합주택	학생이 중심이 되어 기숙사, 임대주택 형식으로 운영하는 유형
청년 협동조합주택	미혼의 청년들이 청년 주거문제를 해결하고자 함께 방안을 모색하는 유형
육아/교육 협동조합주택	자녀의 육아와 교육 문제와 주거문제를 함께 모색하는 유형
동호인 협동조합주택	취미가 같은 사람들이 모여 취미활동과 주거 문제를 함께 모색하는 유형
실버 협동조합주택	노인특성을 반영하여 노인 복지와 주거문제를 함께 모색하는 유형
장애인 협동조합주택	장애인 특성을 반영한 주택으로 재활시설과 장애인 복지를 함께 모색하는 유형
종교인 협동조합 주택	동일한 종교를 추구하는 사람들이 신앙생활과 주거문제를 함께하는 유형
기타	공동의 다양한 목적과 주거문제를 함께 해결하기 위한 다양한 유형

출처: blog.naver.com/lovelysong , 기노채의 아름터기 쉼터 블로그

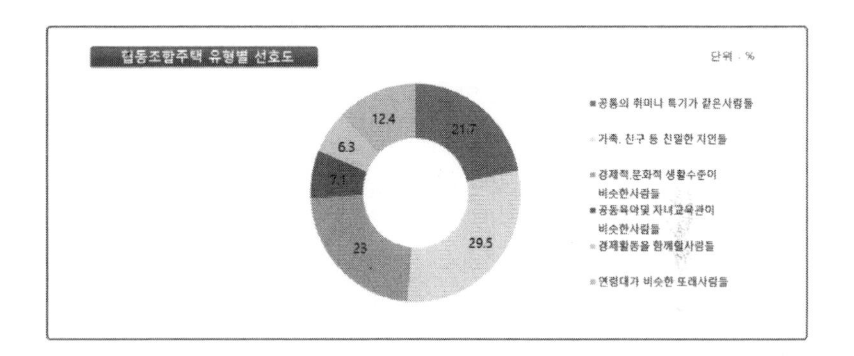

이러한 결과는 응답자의 연령, 연령에 따른 성별, 막내 자녀의 연령에 따라 차이가 나타났다.

응답자의 연령별로 선호하는 유형을 살펴보면 다음과 같다. 30대의 경우는 '공통의 취미나 특기가 같은 사람들끼리(23%)', '가족이나 친구 등 친밀한 지인들끼리 (22.1%)' 순으로 높게 나타났으며, 특히 다른 연령대에 비해 '공동 육아 및 자녀 교육관이 비슷한 사람들끼리 (18.6%)'의 유형이 높게 나타났다. 40대의 경우는 '가족이나 친구 등 친밀한 지인들끼리 (31.6%)', '경제적, 문화적 생활 수준이 비슷한 사람들끼리(27.2%)' 순으로 나타났으며, 다른 연령대에 비해 특별히 두드러지는 유형은 나타나지 않았다. 50대는 '가족이나 친구 등 친밀한 지인들끼리 (37.4%)', '연령대가 비슷한 또래 사람들끼리 (21.5%)'순으로 나타났다. 특히 연령대가 비슷한 또래 사람들끼리 함께하는 유형을 선호하는 비율이 다른 연령에 비해 높게 나타났다.

60대는 ‘공통의 취미나 특기가 같은 사람들끼리 (32.3%)’, ‘경제·문화적 생활수준이 비슷한 사람들끼리 (29%)’ 순으로 나타났으며, 다른 연령대에 비해 ‘공통의 취미나 특기가 같은 사람들끼리(32.3%)’ 유형이 높은 반면, ‘공동 육아 및 자녀 교육관이 비슷한 사람들끼리(0%)’ 함께하는 유형은 전혀 나타나지 않은 것이 특징이다.

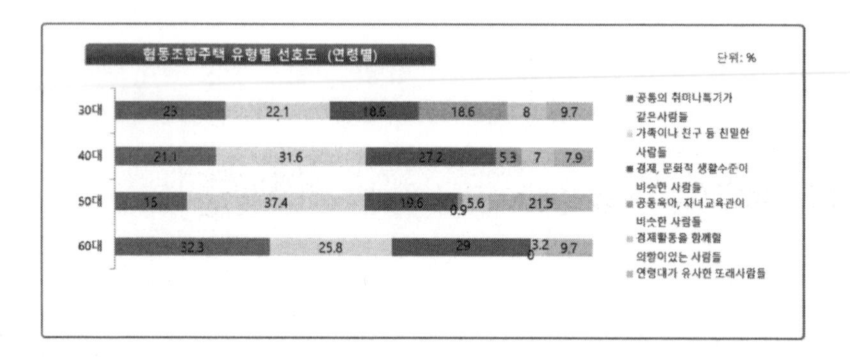

이러한 결과를 협동조합주택의 유형에 따라 선호하는 연령대를 정리해 보면, ‘공통의 취미나 특기가 같은 사람끼리’ 함께하는 유형은 다른 연령대에 비해 60대(32.3%)에서 특히 높았으며, ‘가족이나 친구 등 친밀한 사람들끼리’ 함께하는 유형은 50대(37.4%)에서 가장 두드러지고 40대(31.6%)에서도 높게 나타났다. ‘경제, 문화적 생활수준이 비슷한 사람들끼리’ 함께하는 유형은 특히 60대(29%)의 경우에 가장 높고 40대 (27.2%)에서도 높게

나타났다. '공동육아 및 자녀교육관이 비슷한 사람들끼리' 함께하는 유형은 30대(18.6%)에서 다른 연령대에 비해 높게 나타났다. '경제활동을 함께 할 사람들끼리'는 다른 유형에 비해 모든 연령대에서 선호도가 낮았다. '연령대가 유사한 또래사람들끼리' 함께하는 유형은 특히 다른 연령대에 비해 50대(21.5%)에서 가장 높게 나타났다.

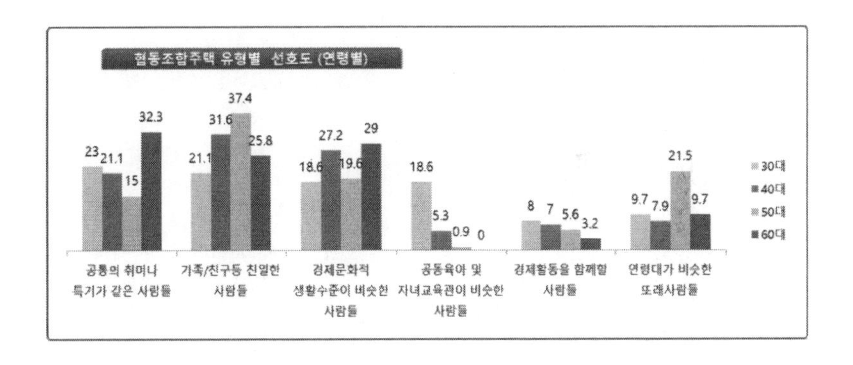

한편, 협동조합주택 유형에 따른 각 연령별 남, 녀 선호도에 뚜렷한 차이가 나타난 사항을 살펴보면, '공통의 취미나 특기가 같은 사람끼리' 함께하는 유형은 30대는 여자, 50대는 남자가 각각 더 높았다. '가족이나 친구 등 친밀한 사람들끼리' 함께하는 유형은 30대 여자가 남자 보다 높았다. '경제, 문화적 생활수준이 비슷한 사람들끼리' 함께하는 유형은 30대와 60대 남자가 각각 여자보다 높게 나타났으며, 공동육아 및 자녀교육관이 비슷한 사람들끼리' 함께하는 유형은 30대와 40대 남자가 여자보다 각각 높았다. '연령대가 유사한 또래 사람들끼리' 함께하는 유형은 50대와 60대 여자가 남자에 비해 더 높았다. 반면, 경제활동을 함께 할 사람들끼리' 유형의 경우는 연령별로 남, 녀간의 차이가 크게 나타나지 않았다.

단위: %

연령	성별	취미,특기가 비슷한 사람들	가족,친구 등 친밀한 지인들	경제,문화적 생활수준이 비슷한 사람들	공동육아 및 자녀 교육관이 비슷한 사람들	경제활동을 함께할 사람들	연령대가 비슷한 또래사람들
30대	남자	17.2	10.3	31	24.1	10.3	6.9
	여자	25	26.2	14.3	16.7	7.1	10.7
40대	남자	23.3	33.3	23.3	10	3.3	6.7
	여자	20.2	31	28.6	3.6	8.3	8.3
50대	남자	20.6	35.3	17.6	2.9	5.9	17.6
	여자	12.3	38.4	20.5	0	5.5	23.3
60대	남자	31	24.1	34.5	0	6.9	3.4
	여자	33.3	27.3	24.2	0	0	15.2

막내 자녀의 연령에 따라서 선호하는 협동조합주택의 유형에 차이가 있었다. 자녀가 없는 경우의 주요 선호 유형은 '공동의 취미와 특기가 같은 사람들끼리' 함께하는 유형(38.2%), '가족이나 친구 등 친밀한 사람들끼리' 함께하는 유형(26.5%) 순으로 높았다. 막내 자녀가 유치원 이하인 경우는 '공동 육아 및 자녀 교육관이

비슷한 사람들끼리(29.2%)', '경제·문화적 생활수준이 비슷한 사람들끼리(24.6%)' 함께하는 유형을 선호하였다. 초등학생인 경우는 '가족이나 친구 등 친밀한 사람들끼리(34.7%)', '경제·문화적 생활수준이 비슷한 사람들끼리(24.5)' 순이었다.

중고등학생의 경우는 '가족이나 친구 등 친밀한 사람들끼리(30.7%)', '경제·문화적 생활수준이 비슷한 사람들끼리(23.3%)'였고, 대학생 이상인 경우도 중고등학생 자녀와 마찬가지로 '가족이나 친구 등 친밀한 사람들끼리 (29.5%)', '경제·문화적 생활수준이 비슷한 사람들끼리 (23%)' 순으로 함께하는 유형이 주요한 선호 유형으로 나타났다.

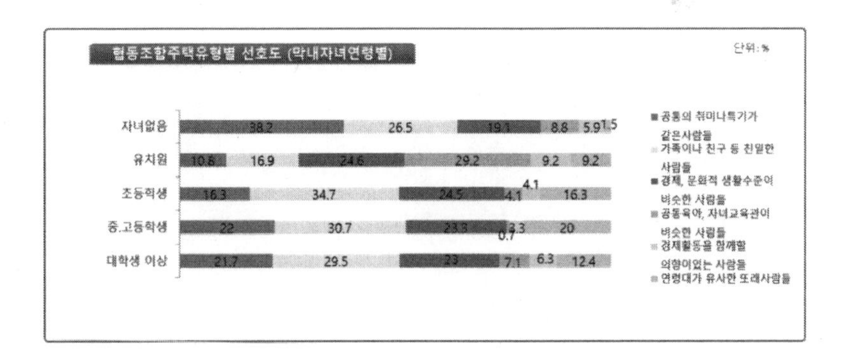

이러한 조사결과를 협동조합주택 유형별로 다시 정리 해보면, '공통의 취미와 특기가 같은 사람들끼리' 함께하는 유형은 특히 자녀가 없는 경우(38.2%) 매우 높았고, '가족이나 친구 등 친밀한

사람들끼리'는 유치원 이하의 자녀가 있는 경우를 제외한 모든 연령층에서 높게 나타났으며, 특히 초등학생의 경우 높게 나타났다. '경제·문화적 생활수준이 비슷한 사람들끼리'는 모든 연령 층에서 고르게 선호하는 것으로 나타났다.

'공동 육아 및 자녀 교육관이 비슷한 사람들끼리'는 유치원 이하(29.2%)에서 특히 높았다. '경제활동을 함께할 사람들끼리'는 다른 유형에 비해 모든 연령대에서 선호도가 매우 낮았으며, '연령대가 유사한 또래 사람들끼리'는 중고등학생(20%)인 경우 다른 연령대에 비해 높게 나타났다.

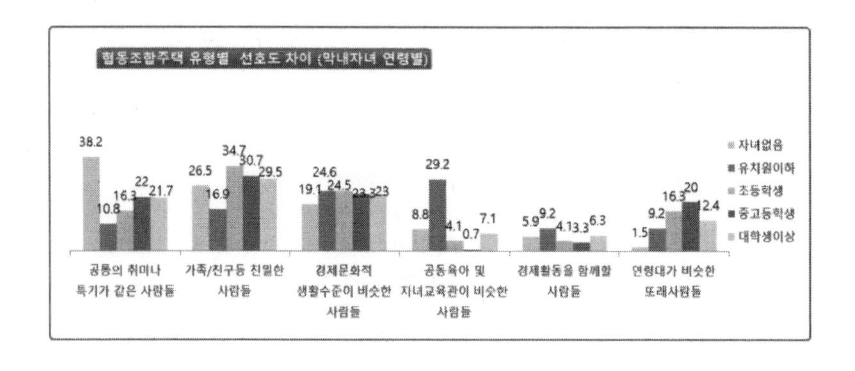

주택협동조합에 어떻게 참여하고 싶은가?

주택협동조합에 참여하는 방식을 참여 정도에 따라 크게 세

가지로 제시하여 선호하는 유형을 조사하였다.

조사 결과, '조합을 결성해서 사전 교육, 설계 및 시공, 입주 후 관리까지 모든 과정에 직접 참여'하는 적극적 참여 유형(35.3%), '인허가, 설계, 금융 등 필요한 과정을 전문가에게 부분적으로 위탁'하는 부분적 참여유형(33.6%), '전 과정을 위탁하고 필요한 경우 의사결정에만 참여'하는 소극적 참여 유형(31.1%) 순으로 나타났다.

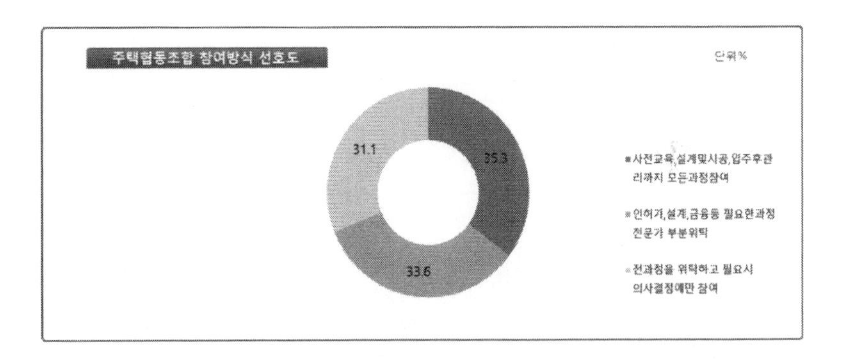

선호하는 주택협동조합 참여방식은 응답자의 연령에 따라 차이가 나타났다.

30대는 '사전 교육, 설계 및 시공, 입주 후 관리까지 전 과정 참여'하는 방식인 적극적 참여유형(40.4%)이 모든 연령대 중에서 가장 높게 나타났다. 다음으로 '인·허가, 설계, 금융 등 필요한 과정을 전문가에게 부분적으로 위탁'하는 부분적 참여유형

(36.8%)이 높았으며, '전 과정을 위탁하고 필요한 경우 의사결정에만 참여'하는 소극적 참여유형 (22.8%)의 비율은 다른 연령대에 비해 가장 낮았다.

40대는 부분적 참여유형(38.3%), 적극적 참여유형(33.0%) 순으로 높았고 30대와 마찬가지로 소극적 참여유형(28.7%) 비율은 비교적 낮았다. 50대는 다른 연령대에 비해 특히 다른 양상으로 나타났는데, 소극적 참여유형(44.5%)이 특히 높은 반면, 부분적 참여 유형(23.1%)은 다른 연령대에 비해 매우 낮았다. 60대는 적극적 참여방식(35.5%)과 부분적 참여방식(35.5%) 이 같은 비율로 나타났으며, 소극적 참여방식(29.0%)은 낮은 비율로 나타나 40대와 유사한 양상 이었다.

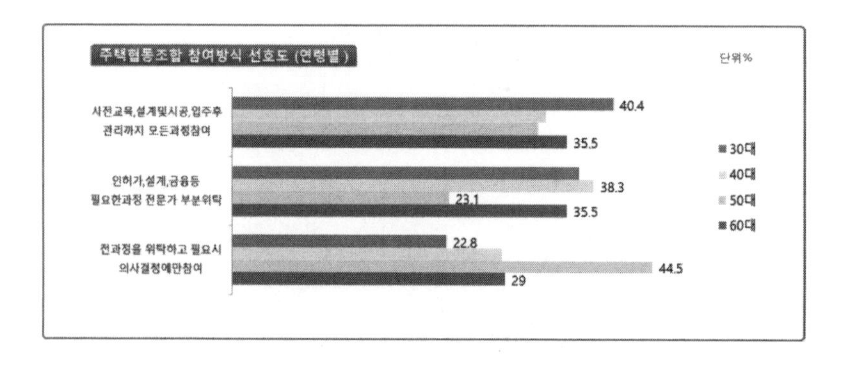

각 연령대별로 성별에 따라 선호하는 주택협동조합 참여 방식에 차이가 나타나는지 조사한 결과 다음과 같았다.

30대의 경우는 적극적 참여유형, 부분적 참여유형, 소극적 참여유형 모두 성별에 따라 조금씩 차이가 나타났는데, 특히 여자(27.3%)의 경우 전 과정을 위탁하고 필요한 경우 의사 결정에만 참여하는 소극적 참여유형을 선호하는 비율이 남자(10.3%)에 비해 높았다. 40대와 50대의 경우는 세 가지 참여 유형 모두 성별에 따른 뚜렷한 차이는 나타나지 않았다. 60대는 남자는 적극적 참여유형(41.1%), 부분적 참여유형 (34.5%), 소극적 참여유형(24.1%) 순으로서 보다 적극적 성향이 강한 반면, 여자는 부분적 참여 유형(36.4%), 소극적 참여유형(33.3%), 적극적 참여유형 (30.3%) 순으로 나타나 남자에 비해 더욱 소극적 성향을 보였다.

단위: %

연령	성별	사전교육,설계 및 시공, 입주 후 관리까지 모든 과정참여	인허가, 설계,금융 등 필요한 과정만 전문가 부분위탁	전 과정을 위탁하고 필요 시 의사결정에만 참여
30대	남자	48.3	41.4	10.3
	여자	36.9	35.7	27.4
40대	남자	33.3	36.7	30.0
	여자	33.3	39.3	27.4
50대	남자	35.3	20.6	44.1
	여자	31.5	24.7	43.8
60대	남자	41.4	34.5	24.1
	여자	30.3	36.4	33.3

저비용 주택에서 공동체 이웃과 살기

향후 협동조합형 주택을 마련할 의향이 있다고 응답한 사람들(396명)을 대상으로 그 이유를 세 가지 유형으로 조사했다. 조사 결과, 불필요한 비용절감을 위해서(37.1%), 조합원들간의 친밀한 공동체 형성이 가능해서(34.9%), 맞춤형 공간설계가 가능해서(28%) 순으로 경제적 측면, 사회적 측면이 물리적인 이유보다 좀 더 주요한 것으로 나타났다.

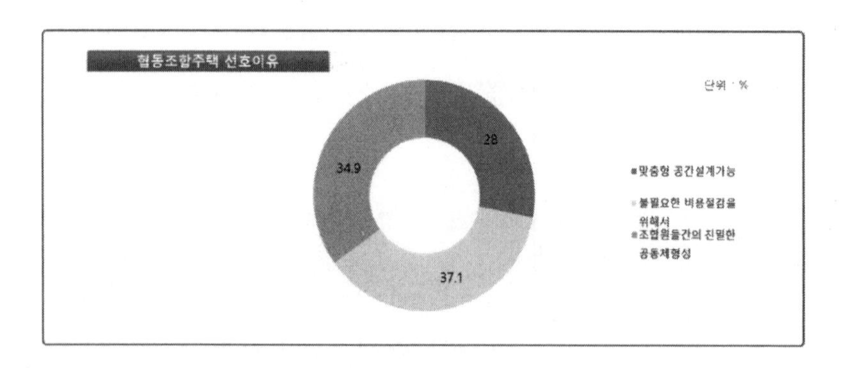

이러한 결과를 통해 협동조합주택을 희망하는 응답자들의 경우 첫째, 그 동안 공급자가 수익을 목적으로 분양 또는 임대하는 주택을 마련하거나 주택을 유지· 관리 하는데 소요되는 제반 비용이 자신의 경제적 여건이나 능력에 비해 필요 이상으로 과하다고 여기고 있으며, 또한 지나치게 높은 분양가나

전세가격의 가파른 상승률로 힘겨워하는 가구들이 주택 협동조합을 통해 공동으로 주택을 지으면서 꼭 필요한 비용만을 가지고 내 집을 장만할 수 있다는 경제 적인 기대를 가지고 있음을 알 수 있다.

둘째, 지난 수 십여 년 동안에 걸쳐 주택난을 해소하는데 주력한 주택 정책이 지속된 결과, 현재 대도시의 주택 유형은 아파트나 다세대 주택과 같은 집합·공동 주택이 주류를 형성하고 있다. 그러나 최근 1~2인 가구나 청년 및 노인 단독 세대의 비율이 증가하면서 언제부터인가 과거 전통 사회의 마을 공동체에서 누렸던 사회적 관계 맺기와 교류, 더 나아가서는 새로운 신개념 가족관계에 대한 관심과 요구가 늘어나고 있는 추세이다.

본 조사 결과에서 '친밀한 공동체 형성이 가능해서(34.9%)'에 비교적 많은 응답률이 나타난 것은 바로 이러한 현상을 잘 보여주는 것으로서, 거주자들이 주택 공동체나 마을 공동체 일원이 되어 서로 교류하고 소통하며 살 수 있도록 하는 다양한 주택 유형과 프로그램이 실효성 있게 개발될 필요가 있음을 알 수 있다.

협동조합주택에 대한 선호이유는 응답자의 성별, 연령, 막내 자녀의 연령, 주택규모에 따라 차이가 나타났다.

먼저, 성별에 따라 남자는 협동조합주택을 통해 공동체 형성에 대한 기대가 좀 더 많고, 여자는 불필요한 비용을 줄이고 개인의 필요와 요구에 따른 맞춤형 공간 설계가 가능한 것에 더 관심이 많은 것으로 나타났다.

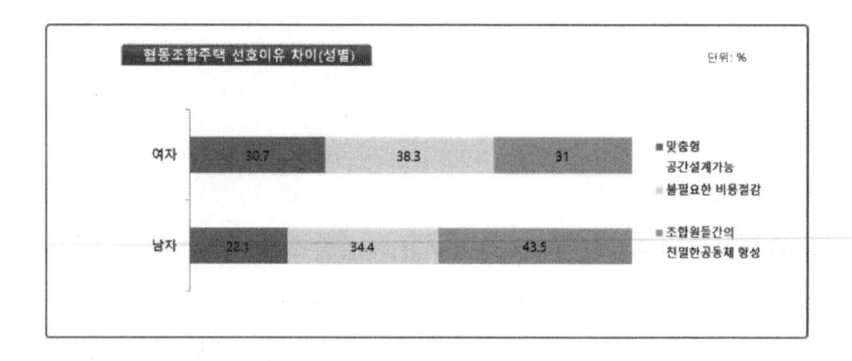

응답자의 연령대가 높아질수록 친밀한 공동체 형성이 가능한 이유가 중요하고, 반면에 연령대가 낮을 수록 불필요 한 비용절감 및 맞춤형 공간 설계가 가능한 이유를 중요하게 여기는 것으로 나타났다.

특히, 30대 여성의 경우 맞춤형 공간 설계가 가능한 것에 가장 관심이 많았고, 30대 남자와 여자 및 40대 여자는 불필요한 비용 절감에 관심이 많았다. 그리고 50대 남자 및 60대 남자와 여자의 경우 친밀한 공동체 형성이 가능한 이유를 중요하게 생각하였다.

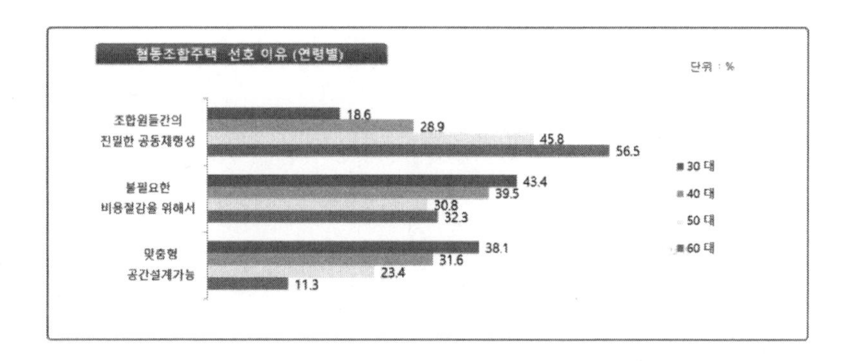

단위: %

연령	성별	맞춤형 공간설계 가능	불필요한 비용절감	조합원들간 친밀한 공동체형성
30대	남자	31	51.7	17.2
	여자	40.5	40.5	19
40대	남자	33.3	33.3	33.3
	여자	31	41.7	27.4
50대	남자	14.7	26.5	58.8
	여자	27.4	32.9	39.7
60대	남자	10.3	27.6	62.1
	여자	12.1	36.4	51.5

자녀가 대학생 이상인 경우 조합원들간의 친밀한 공동체 형성이 가능한 이유가 높았고 맞춤형 공간설계가 가능(물리적요인)한 경우는 다른 연령대에 비해 낮았다. 자녀가 없거나 유치원 이하, 중·고등학생인 경우는 불필요한 비용 절감(경제적 요인)을 이유로 선택한 비율이 다른 자녀 연령 보다 좀 더 높았으며, 초등학생의 경우 맞춤형 공간설계가 가능(물리적

요인)한 이유가 다른 연령에 비해 높았다.

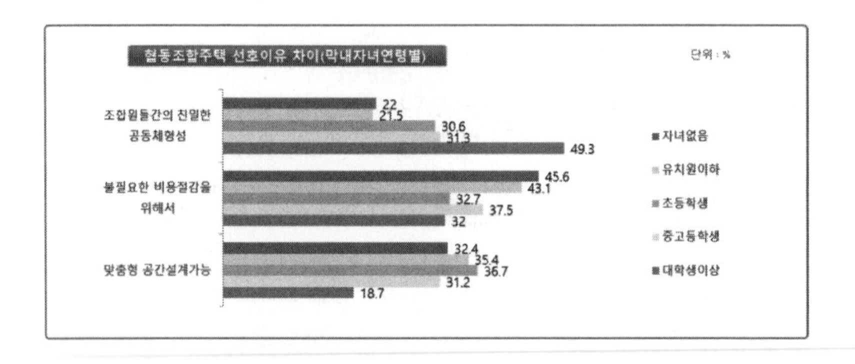

20평 미만의 작은 주택에 거주하는 응답자의 경우 불필요 한 비용절감, 40평 이상의 대형 평형의 경우는 조합원들 간의 친밀한 공동체 형성이 각각 주요한 이유로 나타났다.

즉, 작은 규모의 주택에 거주할수록 불필요한 비용 절감에 응답한 비율이 다른 평형에 비해 좀 더 높아 경제적인 문제가 보다 중요한 사항임을 나타내고 있으며, 이에 비해서 대형 평형의 거주자들은 조합원들 간의 친밀한 공동체 형성이 가장 주요한 이유로 나타났고, 반면에 공간적인 활용에 제약이 적어서인지 맞춤형 공간 설계가 가능한 이유를 선택한 응답률은 다른 평형대에 비해 낮게 나타났다.

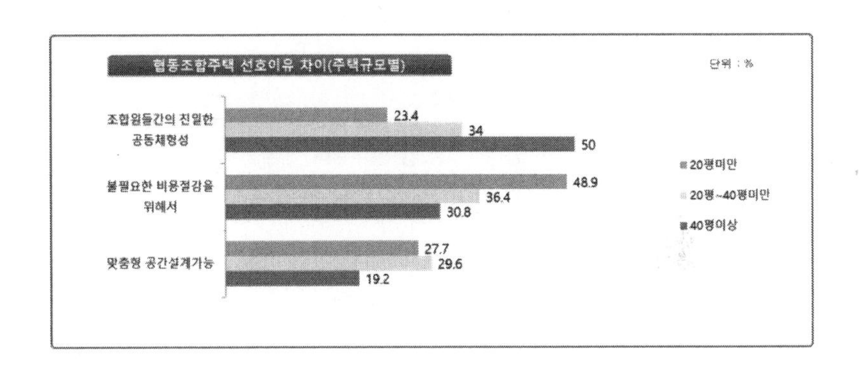

마을을 살리는 주거 공동체를 기대하며

근래에 들어 주택이 소유의 대상이 아니라 가족 모두의 삶을 담아내기 위한 거주의 장으로서 그 인식이 차츰 바뀌어가고 있으며 이와 함께 전통적인 가족의 형태와 의미도 달라져가고 있다.

이러한 급속한 사회적 변화 속에서, 공동체 주거가 사회적 관심을 받기 시작한 것은 2011년 도심 마을 공동체로 알려진 성미산 마을에 '소행주 1호'(소통이 있어 행복한 주택 만들기)에 9세대의 주민들이 입주하기 시작하면서부터이다.[6]

이후 성미산마을에는 2~4호까지의 소행주가 더 생겨났으며, 마을 만들기가 활성화되어 있는 지역들을 중심으로 서울 시내는 물론 과천, 부천 등 경기지역으로까지 확산되고 있다.[7]

한편, 2013년에 국내 처음으로 주택협동조합인 '하우징쿱'이 설립된 것을 시작으로, 청년들의 주택 문제를 해결하기 위해 만들어진 '민달팽이주택협동 조합'을 비롯해 현재 우리나라 전역에 100여개의 주택 협동조합이 활동하고 있으며, 이러한 주택협동조합을 활용한 다양한 유형의 협동조합형 공동체 주택들이 국내 전역에서 시도되고 있다.

민간이 주도하는 공동체 주택의 수요층은 주로 공동체 의식을 기반으로 하는 삶의 방식으로 내 집 마련을 하고자 하는 진보적인 중산층인 것[8]으로 나타나고 있으며, 정부나 지자체가 주도하는 경우 대학생이나 생활기반이 취약한 청년, 노인, 저소득층 등 사회적 약자나 서민들을 위한 공공 임대형 공동체 주거를 개발, 보급하고 있는 추세이다.

그리고 최근에는 여기서 더 나아가 민·관 합동방식으로서 공공의 토지를 임대하여 협동조합형 공동체 주택을 건설하는 사업방식인'토지 임대부 공동체 주택(서교동 소행주5호)'이 등장하여 새롭게 주목을 받고 있는데, 입주민들은 비교적 저렴한 비용으로 안정적인 주거권을 확보하고 기존의 마을공동체 안에서 좋은 이웃 들과 함께 살아갈 수 있다[9]는 장점이 부각되고 있다.

주택협동조합이나 공동체주거의 개념이 서구에서는 이미 19세기 무렵부터 등장하기 시작한 것에 비해, 국내 주택시장에 도입되기 시작한 것은 매우 늦은 편이다. 향후 우리 사회는 저성장 사회가 지속되는 상황에서 고령화와 1인 가구의 확산에 따른 가족 해체 현상이 가속화 될 것으로 전망되고 있다. 이러한 때에 협동조합형 공동체 주거는 비교적 저비용으로 거주자의 요구를 반영하여 설계, 시공될 수 있다는 물리적 장점뿐 아니라, 지속적인 프로그램 개발과 교육을 통해 자발적, 민주적인 교류와 소통의 장을 마련함으로써 새로운 확대가족의 개념을 주거공동체 안에서 실현시킬 수 있다는 점에서 앞으로 더욱 다양한 계층의 수요자들이 관심을 갖게 될 것으로 보인다.

또한 더 나아가서 각각의 개별 주택단지의 틀을 벗어나 인근 지역사회의 마을 주민들이 함께 참여하는 공동체 프로그램을 개발하고 지속적으로 운영함으로써, 소외된 지역이나 쇠퇴하는 마을을 재생하고 활성화할 수 있는 역할을 담당할 수 있게 될 것으로 기대되어 진다.

집필자: 우미경

미주

1장 내 집을 생각하다

1 박완서, 『그 많던 싱아는 누가 다 먹었을까』, 웅진지식하우스, 1992, 135.
2 "내집 소유 20대~50대 낮고 60대 높아", 〈대전투데이〉, 2015. 11. 15.
3 경향신문 특별취재팀, 『어디 사세요』, 사계절, 2010.
4 경향신문 특별취재팀, 위의 책, 2010.
5 경향신문 특별취재팀, 위의 책, 2010.
6 www.jobkorea.co.kr.
7 "직장인 10명 중 8명 '나는 하우스·렌트 푸어", 〈여성신문〉, 2016. 03. 09.
8 "현재 및 희망 주택유형", 〈국토 그래픽 뉴스〉, 국토연구원, 2015. 01.09.
9 페터 춤토르, 『건축을 생각하다』, 나무생각, 2014.
10 박철수, 『아파트』, 도서출판 마티, 2013.
11 박철수, 위의 책, 2013.

2장 안전한 집, 스트레스 없는 집

1 "경찰, 의정부 화재 수사 결과 발표", 〈의정부뉴스〉, 2015.03.26.
2 "아파트-캠퍼스 도로는 사유지, 전체사고의 37% 차지해도 방치", 〈동아일보〉, 2016. 04. 22.
3 한국소비자원. "어린이 안전사고 사례분석", 〈소비자안전〉, 2014.
4 환경부. 〈미세먼지, 도대체 뭘까?〉, 2016.
5 "주말 덮친 최악 미세먼지", 〈중앙일보〉. 2016. 04. 11.
6 www.me.go.kr, 환경부 홈페이지
7 "층간소음 살인 30대, 번번이 무시 배려없어 화났다", 〈연합뉴스〉, 2016. 07.14.
8 〈국민권익위원회 보도자료〉, 2013. 12. 03.
9 "층간소음 못지 않은 층간흡연, 고통 늘어도 처벌 마땅찮다",〈머니투데이〉, 2015. 12. 13.

10 "환절기 주의하세요…집안에 곰팡이 꽃 피우는 '결로", 〈뉴시스〉, 2016. 02. 23.
11 "아파트 드레스룸·붙박이장 결로 방지 대책은", 〈연합뉴스〉, 2015. 12. 16.
12 〈서울시 빛공해 방지계획〉, 서울시, 2015.
13 "제발 잠 좀 잡시다…빛 공해 민원 연간 3천여건", 〈연합뉴스〉, 2016.06.16.

3장 첨단 기술이 적용된 집

1 "지난해 국내 스마트홈 시장규모 10조 돌파", 〈전자신문〉, 2016. 02. 08.
2 〈2015 스마트홈 산업현황 및 정책방향〉, 스마트홈 산업협회, 2015.
3 www. marketsandmarkets. com
4 "뜨거운 스마트홈… 도둑 잡고 장 보고 에너지 절약 척척", 〈동아일보〉, 2016. 09. 05.
5 "소니, IoT 기반 스마트홈 서비스 시장 진출", 〈전자신문〉,2016. 08. 23.
6 "LH 지능형 스마트홈 서비스 등 확대", 〈문화일보〉, 2016. 07. 27.
7 "이통사-건설사, IoT 스마트홈 구축 위해 맞손", 〈IT데일리〉, 2016. 06. 08.
8 "이통사-건설사, IoT 스마트홈 구축 위해 맞손", 〈IT데일리〉, 2016. 06. 08.
9 www.hillstate.co.kr.
10 www.daelim-apt.co.kr.
11 "IFA 2016 홈그라운드에 스마트홈 들고 나온 독일 기업들", 〈이코노믹 리뷰〉, 2016. 09. 03.
12 "보건소 모바일 헬스케어 사업 실시", 〈의학신문〉, 2016. 09. 11.
13 www.apple.com.
14 "삼성전자, 스마트 냉장고 '패밀리허브' 출시…IoT 활용", 〈뉴시스〉, 2016. 03. 30.

4장 융통성 있는 집

1 "e편한세상 테라스 오포, 평면은 좋은데..아쉬운 입지와 분양가", 〈조선일보〉, 2016. 02. 22.

2 "명절, 온 가족 화목할 가족공간 특화 아파트 눈길", 〈한국경제〉, 2016. 02. 09.
3 "주방을 차별화 하라,아파트 분양 특화 경쟁", 〈매일경제〉, 2016. 05. 11.
4 "서울 인포그래픽스 제 191호", 〈서울연구원〉, 2016. 07. 11.
5 "GS건설, 자이 더 익스프레스, 친환경 힐링 단지", 〈아시아투데이〉, 2015. 10. 28.
6 "가든팜, 터칭팜, 아파트 텃밭도 차별화", 〈동아경제〉. 2015. 08. 27.
7 "가든팜, 터칭팜, 아파트 텃밭도 차별화", 〈동아경제〉. 2015. 08. 27.
8 "아파트 공간 설계 이젠 욕실의 진화", 〈파이낸셜뉴스〉, 2014. 09. 15.
9 "부띠끄 욕실에 수납공간 특화", 〈중앙일보〉. 2015. 10. 22.
10 "아파트 1층 가구 '아틀리에 하우스' 변신", 〈서울신문〉, 2016. 02. 14.

5장 살기 쉬운 집, 재미있는 집

1 "아파트 대상 품질부문에 두산건설 - 기술자 거주하며 대기, 하자발생땐 원스톱 A/S", 〈아시아경제〉, 2014. 5. 30.
2 "롯데건설, 아파트 입주민에 살균 클리닝 서비스 제공", 〈한국경제〉, 2013. 07. 10.
3 "하우징페어 - 한라건설 꿈에 그린, 스마트 셀 기술 접목…주거공간 20% 늘려", 〈서울경제〉, 2013. 03. 27.
4 "가족없으니 바다에 뿌려주세요...전국 곳곳서 고독사 속출", 〈데일리한국〉, 2016. 03. 16.
5 오마이뉴스특별취재팀, 『마을의 귀환』, 오마이북, 2013.
6 박재동 외, 『마을을 상상하는 20가지 방법』, 2015.
7 통계청, 『2015년 한국의 사회지표』, 2016.
8 "살고 싶은 집, 살고 싶은 마을", 〈경향신문〉, 2016.8.5
9 "우아한 생활공동체 혹은 일회용 유토피아", 〈한겨레신문〉, 2016. 8. 22.

6장 1인 가구를 위한 집

1 통계청, 〈장래 가구 추계〉, 2014.
2 국가권익위원회, 『1인가구 대책 마련 위한 국민신문고 온라인 토론 결과발표』,2014.

3 통계청, 〈평균 소비성향 조사〉, 2014.

4 국가권익위원회, 위의 책, 2014.

5 국토부, 『주거실태조사』, 2014.

6 조주현, 김주연. 〈1인 가구 특성에 관한 연구-서울시 1인 가구를 중심으로〉, 『부동산학연구』, 제16집 제4호, 2010.

7 장성수, 〈인 가구주택수요와 2013년 원룸 시장전망〉, 『주거복지연대』, 2013. 01. 17.

8 www.e-trimaje.com

7장 노년기를 위한 집

1 통계청, 〈고령자 통계〉, 2015.

2 국가권익위원회, 『1인가구 대책 마련 위한 국민신문고 온라인 토론 결과 발표』, 2014.

3 "노인 75% 자녀와 같이 살고 싶지 않다…황혼 육아 부담스러워", 〈뉴시스〉, 2015. 11. 26.

4 유선종, 『노인주택 파노라마』, 집문당, 2014.

5 박혜선, 『노인 커뮤니티 공간』, Spacetime, 2013.

6 유선종, 위의 책, 2014.

7 박혜선, 위의 책, 2013.

8 정경희 외, 〈베이비붐 세대 실태조사 및 정책현황분석〉, 한국보건사회연구원, 2011. 07.

8장 나눠서 살기 좋은 집

1 대한주택공사, 『부분임대형 분양아파트 개발연구』, 1993.

2 국토해양부, 『부분임대형 주택도입 방안연구』, 2012.

3 서울시, 『도시정책지표조사 보고서』, 2016.

4 통계청, 『사회조사』, 2015.

9장 따로 또 같이 사는 집

1 "함께 사는 즐거움, 쉐어하우스 우주", 〈프라임경제〉, 2016. 08. 20.

2 "부산시, 임대형 쉐어하우스 도입", 〈노컷뉴스〉, 2014. 06. 22.

3 염혜실, 김혜경, 〈노인 1인 가구를 위한 시니어 쉐어하우스 개발에 관한 연구〉, 『한국주거학회논문집』, 2014. 12.

10장 함께 지어 더불어 사는 집

1 조고은, 〈협동조합으로 집 짓기-뭉치면 쉬워진다〉, 『전원속의 내집』, 2014. 04.

2 홍세라, 『협동조합으로 집짓기』, 한겨레출판㈜, 2015.

3 홍세라, 위의 책, 2015.

4 기노채, 『협동조합형 공유주택의 개념과 사례분석- 광주형 공동체주택 모델개발을 위한 심포지엄 교재』, 2015. 11. 03.

5 미래공간문화연구소, 『주거 요구 조사 보고서』, 2016.

6 박경옥, 〈공동체 주거: 현대적 확대가족의 삶〉, 『건축』, 2016. 06.

7 류현수, 〈공유주택 소행주의 진화 : 최초 토지 임대부 주택을 중심으로〉. 『건축』, 2016. 06.

8 박경옥(2016.06). 위의 글, 2016. 06.

9 류현수(2016.06). 위의 글, 2016. 06.